C0-CDQ-771

3차원의 인생을 지배하는

4차원의 영성

조용기 著

인사말

우리의 인생은 제한된 삶입니다. 시공간의 제약아래 사는 3차원의 인생인 것입니다. 그러나 이것이 전부가 아닙니다. 성경은 "보이는 것은 나타나는 것으로 되지 않았다"(히 11:3) 라고 가르치고 있습니다. 4차원은 종교적으로 말하면 영적인 세계입니다. 그리고 인간은 영혼을 가진 영적인 존재이기 때문에, 3차원의 세계에 있으면서 4차원에 속하는 존재입니다. 그런데 오늘날 개인이나 사회나 가정이나 모든 곳에 사단이 들어와서 공허하고 흑암이 깊게 만들었습니다.

저는 25년 전 이미 4차원의 비밀에 대한 개요를 말씀드린 바 있습니다. 여기서 비롯된 '4차원의 영성' 을 지난 47년간의 목회의 원동력으로 적용하게 된 것은 저 스스로 연구한 것도 아니고 누구에게서 배운 것도 아닙니다. 이것은 오랜 시간동안 성령님과 교제하는 가운데 알게 된 비밀입니다. 저는 이 비밀을 더 많은 분들과 나누기 원합니다.

인사말

우리는 4차원의 영성으로 모든 환경을 새롭게 부화시켜야 합니다. 그래야 모든 것이 변화됩니다. 4차원을 변화시키는 사람이 3차원을 지배해 나가게 되는 것입니다. 그러면 4차원 영성의 세계를 어떻게 움직일 수 있을까요? 거기에는 4가지 요소가 있습니다. 바로 생각, 믿음, 꿈, 말입니다. 이것을 통해 4차원은 움직여집니다. 이것을 변화시켜야 하는 것입니다. 이것을 알게된 여러분의 인생은 이제 곧 변화될 것입니다.

이번에 교회성장연구소에서 출간하는 「3차원의 인생을 지배하는 4차원의 영성」은 4차원의 세계를 움직이는 4가지 핵심요소인 생각, 믿음, 꿈, 말에 대해 개인의 삶과 조직의 발전에 적용할 수 있도록 꾸며졌습니다. 또한 여기에는 4차원의 영성을 개발하는 다양한 이야기와 실행지침들이 담겨 있습니다.

이 책을 통해 자신의 삶을 성공인생으로 변화시키고자 하는 모든 사람

들이 4차원의 영성에 대한 깊은 통찰력과 도전의식을 재충전하는 계기가 되기를 간절히 소망합니다. 이 책을 읽는 여러분 모두의 인생마다 하나님의 크신 축복과 은총이 있기를 바랍니다.

2004년 12월 25일 성탄절에

조 용 기

추천의 글

희망목회 47주년을 기념하여 세계최대 교회를 일구신 조용기 목사님의 성령사역을 보다 쉽게 이해할 양질의 책이 발간되어 기쁘게 생각합니다. 그동안 국내를 비롯한 전 세계의 수많은 학자와 목회자, 평신도들에게 영감을 주었던 그의 성령사역을 보다 체계적으로 연구하여 집대성한 노작인 만큼 에스겔 골짜기의 마른 뼈 같은 수많은 영혼들에게 생수가 되어 읽혀지길 바랍니다.

김삼환 목사(명성교회)

20세기 후반 「4차원의 영적세계」란 책으로 성령운동에 어두웠던 한국교회와 세계 교회들에게 새로운 도전을 주었던 조용기 목사님께서 다시금 21세기에 들어와 성령운동을 통해 교회갱신과 교회성장을 이루기 위해 「3차원의 인생을 지배하는 4차원의 영성」이란 책을 출간하심을 진심으로 환영합니다. 이 책을 통해 다시 한번 성령운동이 우리의 영적인 삶과 교회 안에서 일어나길 기대합니다.

김영길 총장(한동대)

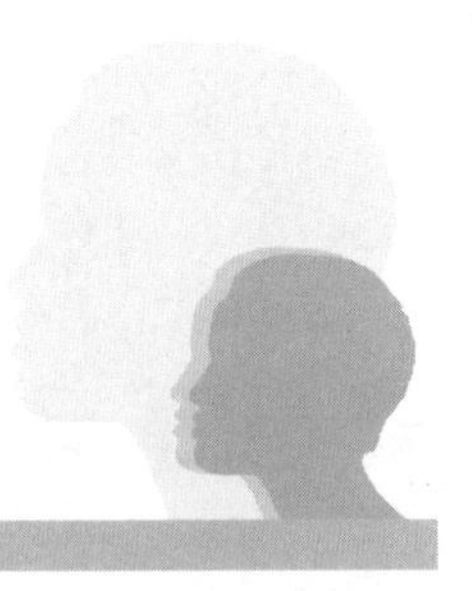

3차원의 인간세계와 4차원의 영적세계의 관계를 이 책만큼 실제적으로 다루는 책은 없을 것입니다. 세계적으로 성령사역에 있어 권위자인 조용기 목사님은 신비한 영적 원리들을 4가지 채널을 통해 간단명료하게 소개하고 있습니다: 4차원의 믿음으로 생각하고, 믿고, 꿈꾸고, 말하라!

김장환 목사(세계 침례교 총회장)

하나님의 크신 사랑과 은혜 가운데 조용기 목사님의 「3차원의 인생을 지배하는 4차원의 영성」 출간을 진심으로 축하드립니다. 이 책은 살아계신 하나님의 말씀을 통해 천지만물 위의 영적세계를 과학적인 이치로 증명하며, 영원과 무한을 다스리시는 거룩하신 창조주 하나님의 통치원리를 깊이 깨닫게 만듭니다. 성령님의 역사 속에 이러한 진리를 이해함으로써 많은 분들이 더욱 강건한 믿음을 얻고, 세상에서 승리하며 하나님의 영광을 나타내는 기쁨이 충만해지시기를 기원합니다.

이경숙 총장(숙명여대)

추천의 글

오늘날 한국교회의 괄목할만한 성장을 뒷받침한 수많은 요인 중에 가장 중대한 영향력은 무엇보다도 세계 최대의 교회를 이끄는 조용기 목사님의 성령사역임에 틀림없습니다. 이미 「4차원의 영적세계」(The Fourth Dimension)로 우리에게 알려진 조 목사님의 성령사역이 어떻게 교회성장과 직결될 수 있었는지를 보다 구체적으로 현장감 있게 들려주는 자료를 한 권의 책으로 만날 수 있게 되어 기쁘게 생각합니다. 특히 그가 제시하는 영성훈련 프로그램은 분명 더 깊은 성령과의 동역을 갈망하는 평신도와 목회자에게 4차원 영적세계로 향하는 방향과 목적을 제시하는 나침반이 될 것입니다.

옥한흠 목사(국제제자훈련원장)

크리스천의 영적 삶을 이보다 더 간결하고 쉬운 말씀으로 안내하는 책은 본적이 없을 것입니다. 이 책 안에는 믿음의 순례자들이 반드시 숙지해야 할 분명한 원리가 살아서 숨쉬는 듯한 언어로 기술되고 있습니다. 희망목회라는 가마솥에서 47년의 경험이 낳은 영적 진수를 보다 알기 쉽게 한국교회에 소개되어 감사드립니다. 자신의 영적 삶의 비상을 꿈꾸는 이들에게 이 책이 읽혀져 메마른 영혼이 살찌워져 강건케 되길 바랍니다.

정근모 박사(대한민국 국가조찬기도회장)

조용기 목사님의 사역은 영적인 삶의 나침판과 같습니다. 그는 영적으로 황무했던 한국교회에 생명력이 넘치는 목회의 본을 보여 주셨습니다. 지난 47년 동안의 목회사역은 한마디로 말씀사역과 성령사역의 절묘한 조화라고 보여집니다. 이 책에서 우리는 「4차원의 영적세계」에서 시작된 그의 원리가 「4차원의 영성」으로 이어지는 삶으로의 여행을 경험하게 될 것입니다. 이러한 적용은 성도들의 삶에 실제적으로 적용될 것입니다. 대부분의 많은 사람들은 신앙생활의 원리와 실제를 혼돈하고 있습니다. 교회에서는 뜨거운 신앙생활을 하고 세상에서는 차가운 현실의 삶을 살아가고 있습니다. 이 책을 통하여 명쾌하게 해답을 찾게 되기를 바랍니다.

하용조 목사(온누리교회)

※ 가나다 순입니다

Contents

Contents

2부 당신 안의 4차원 영적세계를 바꾸라!

당신의 4차원의 생각, 이렇게 바꾸라

1장
생각

Contents

2부 당신 안의 4차원 영적세계를 바꾸라!

당신의 4차원의 믿음, 이렇게 바꾸라

2장 믿음

Contents

2부 당신 안의 4차원 영적세계를 바꾸라!

당신의 4차원의 꿈, 이렇게 바꾸라

3장 꿈

Contents

2부 당신 안의 4차원 영적세계를 바꾸라!

1

1부
4차원 영적세계로의 초대

1부 4차원 영적세계로의 초대

1장 3차원의 인생, 4차원의 영성

4차원 영적세계로의 초대

1장 3차원의 인생, 4차원의 영성

"믿음은 바라는 것들의 실상이요 보지 못하는 것들의 증거니 선진들이 이로써 증거를 얻었느니라 믿음으로 모든 세계가 하나님의 말씀으로 지어진 줄을 우리가 아나니 보이는 것은 나타난 것으로 말미암아 된 것이 아니니라"
(히브리서 11:1-3)

이전에 미국의 저명한 신학교육기관인 Fuller 신학대학원에서 '교회성장' 강의를 하게 된 적이 있었습니다. 전 교수들과 학생들이 참석했고, 미국 전역에서 온 많은 교역자 대표들이 참석한 굉장한 모임이었습니다. 그 모임에서 제게 강의를 의뢰한 피터 와그너 박사를 만나게 되었습니다. 반갑게 인사를 나누고 담소를 나누는 가운데 그가 매우 흥미로운 얘기를 건넸습니다. 하나님께서 자기에게 짧아진 다리를 길게 만드는 특별한 은사를 주셨다는 이야기 였습니다.

저는 제 귀를 의심했습니다. 신학 교수이자 박사인 그를 어느 모로 봐도 결코 그런 기적을 일으킬만한 사람으로는 보이지 않았기 때문입니다. 그건 저의 마음을 알았는지 와그너 박사는 직접 와서 그 현장을 보라고 했습니다. 이튿날 아침 저는 다시 사무실에 들렀습니다. 때마침 기차사고로 다리가 일부 잘린 한 이라크인이 거기 있었습니다. 또 박사의 부인과 김영길 목사님을 비롯한 여러 다른 목사님들도 계셨습니다. 이윽고 와그너 박사가 들어왔습니다. 그는 기도를 마친 후 다리가 일부 잘려있는 그 이라크인에게 손을 얹고 외쳤습니다.

"나사렛 예수의 이름으로 다리야 길어질찌어다! 다리야 길어질찌어다! 나사렛 예수의 이름으로 다리야 길어질찌어다!"

와그너 박사는 그렇게 계속 5분이 넘도록 땀으로 범벅이 된 채 외치고 또 외쳤습니다. 그러나 다리는 여전히 그대로였습니다. 저는 박사가 무안할까봐 오히려 그를 위로했습니다.

"지금 바로 길어질 수도 있겠지만 서서히 길어질 수도 있을겁니다."

거기 있는 다른 사람들도 저마다 괜찮다고 와그너 박사를 위로했습니다. 그러나 박사는 포기하지 않았습니다. 그리고 그 이라크인에게 손을 내밀며 자기 기도를 따라하라고 했습니다.

"하나님이 살아계신 것을 믿습니다. 독생자 예수가 나의 구주인 것을 믿습니다. 예수님께서 나를 꼭 고쳐주실 것을 믿습니다."라고 고백하게 한 후에 다시 앉으라고 했습니다.

이제는 오히려 보고 있는 제가 더 난처했습니다. 저는 기도했습니다.

'하나님, 저의 부족한 믿음을 용서하여 주시옵소서. 아버지, 다리가 길어지건 아니건 와그너 박사가 실족치 않게 하여 주옵소서.'

박사는 다시 그에게로 가서 다리를 만지면서 선포했습니다.

"나사렛 예수의 이름으로 명하노니, 다리야 길어질찌어다! 나사렛 예수의 이름으로 길어져라!"

순간 믿지 못할 상황이 눈앞에 펼쳐졌습니다. 저는 얼마나 놀랐는지 주저앉을 뻔했습니다. 다리가 30초도 안 되는 순간에 쑥하고 길어지는 것을 보았습니다.

이 사건은 저에게 엄청난 충격을 안겨 주었습니다. 저는 하나님이 그렇게 가까이 계신 분임을 미처 모르고 있었던 것입니다. 이 사건을 통해 저는 이 놀라운 사실을 너무도 절실히 알게 되었습니다. 그곳은 교회도 아니고 기도원도 아니었으며 여느 부흥회 장소도 아닌, 그저 교수님의 사무실이었을 뿐입니다. 강한 믿음을 갖고 그저 "다리야 길어질찌어다!"라고 말했을 뿐입니다. 다리가 길어진 이라크인은 너무 감격해 하며 사무실 안을 걸어 다녔습니다. 절룩거리는 모습은 온데간데 없었습니다.

아, 이 얼마나 큰 하나님의 은혜입니까? 하나님은 구만리 장천에 멀리 계신 것이 아니고, 우리가 숨쉬는 호흡만큼 가까이 계시며 바로 우리 입술의 말을 통해 계신 것이었습니다. 하나님께서는 2천 년 전 예수 그리스도가 유대 땅에서 행하신 기적을 지금 이 순간 우리들을 통해서도 이루시고 계신 것입니다. 이렇게 큰 깨달음을 간직하게 된 저에게 와그너 박사가 다가와 말했습니다.

"제가 이렇게 병자를 고치는 것은 다 조 목사 덕분입니다."

저는 어리둥절해 하며 무슨 내 덕분이냐고 했습니다. 그러자 박사가 말했습니다.

"당신이 저술한 〈4차원의 영적세계〉라는 책을 읽었습니다. 그 책에서 그러더군요. 반드시 하나님의 역사하심을 이루려면 꿈을 꾸어라. 그리고 이루어지라고 명령하면 된다고 말입니다. 그래서 저는 다리가 길어질 줄 확실히 믿고 이미 그것이 이루어진 것을 바라보고 명령을 했습니다. 그리고 정말로 그 꿈은 모두 이루어졌습니다."

그는 막상 책을 쓴 저 자신도 가져보지 못한 기적을 큰 믿음을 가지고 행하여서 은혜와 축복의 삶을 체험하고 있었던 것이었습니다. 저는 머리를 한 대 얻어맞은 느낌이 들었습니다. 이것은 저로 하여금 하나님이 얼마나 가깝게 계시는지, 또 강한 믿음이 얼마나 큰 기적을 일으키는지 깨닫게 되는 큰 계기가 되었습니다.

실제로 저는 25년 전에 발행한 〈4차원의 영적세계〉를 통해 4차원의 비밀에 대한 개요를 저술한바 있습니다. 사실 이러한 4차원의 영적 개념을 이해하고 삶에 승리의 원동력으로 적용하는 원리를 깨달은 것은 스스로 연구한 것도 아니고 제가 누구에게서 배운 것도 아닙니다. 성령님께서 오랜 시간동안 교제하는 가운데 제게 가르쳐주신 비밀입니다. 그런데 최근에 와서 하나님께서 제게 하루에 1시간 이상씩 계속 계시를 주셨습니다. 저는 기도실에 들어가 앉아서 1시간 이상씩 하나님의 음성만 거듭해서 들었습니다. 굉장히 감격적이고 저의 영혼 속을 뒤흔들어놓는 그러한 하나님의 계시였습니다. 그래서 저는 다시 한 번 그러한 계시를 여러분들과 나누고자 하는 간절함이 있어서 이 책을 쓰게 된 것입니다.

성경은 "보이는 것은 나타나는 것으로 되지 않았다"라고 가르치고 있습니다. 우리가 현실로 보는 3차원의 모든 세계는 그 자체적으로 진화해서 만들어지는 것이 아닙니다. 다윈의 진화론은 3차원의 세계는 스스로 진화해왔고, 진화해간다고 말합니다. 그러나 성경은 현재 보이는 3차원의 세계는 스스로 진화된 것이 아니고 눈에 보이지 않는 3차원을 초월하는 그 이상의 차원에 의해 변화되고 만들어져간다고 말합니다. 그러므로 보이는 것은 나타난 것으로 된 것이 아닙니다. 다윈의 진화론에서는 보이는 것은 나타난 것으로 된다고 말합니다. 그러나 성경은 정반대로 말합니다. 우리의 감각적인 3차원의 세계는 그 자체의 진화와 발전에 의해 되는 것이 아니라는 것입니다. 하나님과의 이 특별한 과외 공부는 더 깊이 계속되었습니다.

보지 못하는 4차원 세계의 비밀

어느 날, 하나님께 간절히 기도하는 중에 마음 깊은 곳에서부터 성령의 강한 감동이 왔습니다. 마음속에서 이런 음성이 들렸습니다.

"조 목사, 1차원이 무엇이냐?"

"네. 1차원은 두 점 사이에 선을 그은 줄입니다."

하나님은 즉각 말씀하셨습니다. 마치 약간은 웃음과 미소를 띠시는 것

같았습니다.

"틀렸다."

"네? 1차원은 선이 아닙니까?"

"그렇다. 1차원은 두 점 사이에 선을 긋지만 두께도 없고 넓이도 없어야 한다. 1차원은 두께와 넓이가 없는 선이므로 그것은 가상적인 선이다."

"그렇군요. 하나님."

순간 무릎이 쳐지듯이 깨달아졌습니다. 만약 연필로 선을 그으면 그어진 선의 연필심 높이만큼 두께가 생기는 것입니다. 그렇다면 선을 긋는 순간에 벌써 그어진 선은 1차원이 아닙니다. 이미 두께가 생겼기 때문에 정확하게 말하면 2차원이 됩니다. 그어진 만큼의 아주 긴 평면이 되는 것입니다. 그러니까 1차원은 절대로 두께도 없고, 평면도 없는 선이 되어야 하기 때문에 1차원적인 개념의 선은 가상의 선이 되는 것입니다. 그렇기 때문에 우리가 표현하고 그리는 1차원은 그리는 순간에 운명적으로 2차원 속에 들어가 지배를 받는 것입니다. 그러나 그런 상황을 1차원 입장에서 보면 1차원은 2차원을 포함하고 끌어안은 1차원으로 이해됩니다.

똑같은 원리로 2차원은 평면인데 우리가 평면을 그리는 순간에 이미 1차원적인 선에 두께가 생기기 때문에 수학적인 이해로는 2차원이지만 실제적으로는 3차원인 입체가 되는 것입니다. 물론 현미경으로 보아야 알 수 있지만 말입니다. 1차원과 마찬가지로 2차원인 평면도 실제로는 가상적인 평면이 됩니다. 전혀 두께가 없는 평면이 2차원입니다. 그것도 가상적입니다. 그렇다면 2차원은 운명적으로 싫든 좋든 3차원에 속하여 지배를 받는 것입니다. 2차원 입장에서는 3차원을 포함하는 2차원이 되는 것입니다.

그렇다면 3차원은 면으로 만들어지는 입체인데, 입체를 만드는 순간에 공간이 들어오기 때문에 온전한 3차원이 아닙니다. 3차원적인 입체 개념도 가상적이 되는 것입니다. 따라서 3차원은 운명적으로 4차원의 지배를 받으면서도 4차원인 시공간을 포함하게 되는 것입니다. 다시 말하면 3차원은 4차원을 포함한 3차원이 되는 것입니다.

그러므로 3차원은 입체, 즉 시간과 공간을 포함하고 있으며 시간과 공간이 생기는 동시에 이미 공간은 무한에 소속되어 있고 시간 역시 무한에 소속되는 것입니다. 다시 말해 공간은 무한에 속하면서도 무한을 포함한 공간이 되고, 시간은 영원에 속하면서도 영원을 포함한 시간이 되는 것입니다. 공간에는 무한이 들어와 있고 시간에는 영원이 들어와 있는 것입니다. 그래서 4차원은 3차원의 공간에 시간이 더해져서 생기는 시공간의 세계라고 말할 수 있습니다. 감각적인 세계를 뛰어넘은 영혼의 세계, 영적인 세계인 것입니다.

영원과 무한의 주인은 하나님이십니다. 하나님 자체가 영원하시며 무한하십니다. 성령님께서는 이것에 대해 저에게 뚜렷이 말씀해주시고 깨닫게 하셨습니다.

"나는 구만리 장천 멀리 있는 존재가 아니다. 너희들은 너희끼리 은밀하게 이야기한 것을 내가 알아듣지 못한다 생각하며 너희들의 앉고 서는 것을 내가 모른다고 생각한다. 그것은 잘못된 생각이다. 나는 너희의 심장보다도 더 너희들에게 가까이 있는 존재이니라."

사람은 입체적인 존재입니다. 사람은 3차원의 세계에 속해 있기 때문에 3차원이 생기자마자 운명적으로 4차원에 속하고 4차원의 지배를 받는 존재로 지어진 것입니다. 따라서 입체적인 존재인 우리들은 3차원이라는 공간이 생기면서 무한이 우리에게 들어와 있고, 시간이 생기면서 영원이 우리에게 들어와 있는 것입니다. 이것은 하나님을 믿는 사람이나 그렇지 않은 사람이나 모두에게 다 포함되는 원리입니다. 그러므로 3차원적인 입체인 인간은 무한과 영원에 점령당하게 되어 있는 존재로 창조된 것입니다. 그러므로 우리들은 앉으나 서나, 자나 깨나 하나님께 점령당하게 되어 있습니다. 이런 원리는 하나님을 인식하게 하는 중요한 단서입니다. 높은 차원이 낮은 차원을 포함하고 다스린다는 것은 매우 과학적인 이치입니다. 1차원은 2차원에, 2차원은 3차원에, 3차원은 4차원에 소속되어 있습니다. 그렇기 때문에 영원하고 무궁한 존재이신 하나님께서는 우리가 사는 3차원 이하의 모든 세계를 다스리시는 것입니다.

4차원에 속한 하나님이 만드신 3차원의 세계

성경은 "하나님께서 만유 안에 계시고, 만유를 초월해 계신다."고 말씀하고 있습니다. 이 말씀을 차원의 개념에 넣어 해석하면 이렇습니다. 4차원은 3차원에 있으면서도 3차원을 초월하고, 3차원은 2차원에 있으면서도 2차원을 초월하며 2차원은 1차원 속에 있으면서 1차원을 초월합니다. 따라서 4차원은 시간과 공간 속에 있으면서도 시간과 공간을 초월합니다.

그렇다면 4차원은 영적인 세계입니다. 창세기는 땅이 혼돈하고 공허하고 흑암이 깊음 위에 있었다고 말씀 합니다. 그러므로 창조된 이 세계는 3차원의 세계입니다. 그리고 그 3차원의 세계를 성령님께서 마치 암탉이 알을 품듯이 운행하셨습니다. 성령님은 무한하고 영원하신 하나님의 모습이십니다. 이렇게 성령님이 운행하시자 3차원의 세계에 창조적인 역사가 일어나기 시작합니다.

하나님께서 말씀하셨습니다.

"빛이 있으라."

그러자 빛이 생겨났습니다. 존재하는 무엇인가가 변한 것이 아니라 아무 것도 없는 무(無)의 상태에서 빛이 창조된 것입니다. 계속해서 또 말씀하셨습니다.

"궁창이 있어 물과 물로 나뉘게 하라."

그러자 궁창 아래의 물과 궁창 위의 물로 나뉘었고, 궁창을 하늘이라 이름 붙이셨습니다. 궁창의 창조 역시 없는 것(無)에서 보이는 아름다운 세상, 있는 것(有)으로 만드신 것입니다. 3차원 세계 자체가 진화한 것이 아니요, 4차원에 속한 성령님이 품으시며 친히 창조하신 것입니다.

4차원은 영적인 세계입니다. 인간은 영혼을 가진 영적인 존재이기 때문에 3차원의 세계에 있으면서 4차원에 속하는 존재인 것입니다. 인간의 영은 하나님의 존재에는 비길 바 못되지만 하나님의 형상과 모양대로 지음 받았기 때문에 영원과 무한함이 무엇인지 알 수 있습니다. 인간의 육체는 흙으로 돌아가지만 영혼은 천국에 가든지 지옥에 가든지 영원히 존재하게 됩니다. 이런 4차원적인 의미에서 보면 인간이라는 존재는 영원히 사는 존재입니다. 인간의 영은 3차원인 육을 다스립니다. 그 영이 상하면 육체가 병들고, 사람의 영이 성하면 육체가 건강한 것입니다.

사람의 영은 인간 육체 어느 한 부분에 자리 잡고 있는 것이 아니라 우리 몸속에 가득 차 있습니다. 4차원은 3차원을 포함하면서도 3차원 속에 존재하기 때문입니다. 인간의 영은 몸속에 있으면서도 3차원의 지배를 받지 않고 육신을 초월해 있습니다.

사도 요한은 몸은 분명히 밧모섬에 있으면서도 그 육체를 초월해 하늘로 올라가 하늘의 영광을 다 보았습니다. 마찬가지로 요한 역시 자신이 본 그대로 요한계시록을 작성한 것입니다. 동물은 육을 초월할 수도, 생각과 말을 할 수도 없습니다. 왜냐하면 영이 없기 때문입니다.

놀랍지 않습니까? 영은 4차원에 속한 것이기 때문에 3차원에 있으면서도 3차원을 초월합니다. 우리가 몸속에 살더라도 3차원인 몸이 죽게 되면 영은 상관없습니다. 영은 3차원을 초월해 있으니 그대로 떠나 예수님 곁으로 가는 것입니다.

4차원의 지배를 받는 3차원의 인간 세계

골로새서 1장 13절은 "그가 우리를 흑암의 권세에서 건져 내사 그의 사랑의 아들의 나라로 옮기셨으니"라고 말씀하고 있습니다. 이 말씀은 우리가 구원받았을 때 마귀의 4차원으로부터 건짐을 받아 하나님의 거룩한 4차원으로 옮겨졌다는 말씀이며 하나님이 흑암의 권세에서 우리를 건져 내사 사랑의 아들의 나라인 선한 나라로 옮기셨다는 말씀입니다. 다시 말하면 4차원적인 존재는 하나님과 인간 그리고 사단인데, 현재 우리는 똑같은 4차원 중에 가장 낮은 4차원, 마귀는 중간 4차원, 하나님은 가장 높은 4차원에 계신 것입니다. 4차원은 3차원을 지배하므로 사람들이 3차원의 세계를 지배하고 있는 것입니다. 또한 사람은 영적인 존재이기에 발명과 발견을 통해 3차원을 변화시킬 수 있는 것입니다.

사단도 4차원에 속한 존재입니다. 그래서그 보다 낮은 차원인 인간과 3차원을 지배하려 합니다. 그리고 점령한 인간을 통해 하나님이 만드신 창조세계 안에서 모든 악한 일을 행합니다. 인류의 역사를 살펴보면 인류를 파멸로 몰고 간 독재자나 악행을 일삼은 사람들이 있습니다. 그들은 사단에게 점령되어 그들의 생각과 영이 사단의 명령대로 움직여 그런 짓을 한 것입니다.

독일의 히틀러를 점령한 사단은 유대인 6백만 명을 살해하고 유럽을 완전히 파괴시키게 했습니다. 결국 히틀러는 패전의 궁지에 몰리자 권총으로 자살하고 말았습니다. 과거 제국주의 일본도 천황 속에 사단이 들어가 아시아 대륙을 삼키려는 계략을 세우게 하고 전쟁을 일으켜 많은 사람들의 피를 흘리게 했습니다. 그뿐이 아닙니다. 마귀는 예수님의 제자였던 가룟 유다 속에 들어가서 은 30냥에 하나님의 아들을 팔게 했습니다. 이렇게 하나님께 속하지 못하면 악마적 4차원에 속하여 그 영향을 받습니다.

그러나 예수님을 구세주로 영접한 사람은 예수 그리스도의 보혈을 통해 인간적 4차원, 마귀적 4차원에서 건져냄을 받아 영원한 하나님의 4차원에 들어가게 됩니다. 구원 받은 사람은 하나님의 4차원을 통해 영원한 생명을 얻게 됩니다. 그리고 우리의 영과 마음과 생각은 하나님의 4차원으로 가득 차게 됩니다.

4차원의 영적세계를 먼저 움직이라!

예수님을 믿음으로써 거룩한 영적 4차원으로 옮겨진 우리는 어떻게 해야 합니까? 이제 우리는 이 4차원의 세계를 어떻게 움직여 가고, 어떻게 하면 좋은 결과를 낳게 할 수 있느냐를 생각해야 합니다.

3차원은 4차원에 따라서 변해갑니다. 영이 물질을 지배합니다. 보이는 것은 나타난 것으로 된 것이 아닙니다. 구원 받은 사람들은 예수님을 구주로 받아들이는 순간 하나님께 점령당하게 됩니다. 믿는 사람들의 3차원의 세계는 성령이 오셔서 영혼 속에 가득 들어가 계십니다. 그렇기 때문에 언제나 하나님의 영향권 아래 있게 됩니다. 그래서 우리는 하나님 없이는 혼자서 아무 것도 할 수 없습니다.

우리 안에 하나님이 계시는데, 만약 음란한 잡지나 영상을 본다면 하나님과 함께 봐야 합니다. 도둑질하고 사기를 쳐도 하나님과 함께 해야 합니다. 그러니 견딜 수가 있겠습니까? 그것을 내 속에 계신 하나님께서 가만히 보고만 있겠습니까?

하나님은 3차원 안에 들어가 계십니다. 그래서 그 영원함과 무궁함을 우리에게 전달하십니다. 우리는 하나님을 통해 3차원을 지배할 수 있는 능력을 얻습니다. 그 힘은 바로 꿈입니다. 머리 좋고 공부 잘하는 사람이 아닌 꿈을 품은 사람이 3차원의 세계를 변화시킵니다. 하나님은 우리가 꿈꾸기 원하십니다. 그리고 그것을 키워 이루시길 원하십니다. 그래서 하나님이 이미 허락하신 복된 삶을 누리며 아버지께 영광 돌리길 원하십니다. 우리의 생각과 마음과 행동을 하나님의 4차원으로 채우십시오. 당신은 이전에 경험하지 못한 새로운 삶을 누리게 될 것입니다.

2장 4차원을 변화시키는 4가지 요소

4차원 영적세계로의 초대

2장 4차원을 변화시키는 4가지 요소

4차원의 세계는 무엇으로 움직여질까요? 4차원의 세계를 움직이기 위해서는 생각, 믿음, 꿈, 말이라는 4가지 요소가 필요합니다. 이것을 정확히 알고 바로잡을 때 우리의 인생이 변화됩니다. 무조건 기도만 많이 한다고 되는 것이 아닙니다. 기도도 필요하지만 우선은 보이지 않는 4차원의 세계에 변화를 가져와야 보이는 세계인 3차원의 세계가 변화되는 것입니다.

1차원은 2차원에 속하고, 2차원은 3차원에 속하고, 3차원도 4차원에 속하게 됩니다. 따라서 1차원을 변화시키려면 2차원을 변화시켜야 하고, 2차원을 변화시키려면 3차원이 변화되어야 합니다. 이것은 궁극적으로 4차원이 변화되어야 3차원의 인생이 변화된다는 것을 의미합니다. 4차원의 변화는 그것을 이루는 4가지 요소인 생각, 믿음, 꿈, 말을 어떻게 하느냐에 달려있습니다. 우리는 이 요소들을 변화시켜야 합니다. 그래야 우리의 인생도 변화될 수 있기 때문입니다. 그러면 이들을 어떻게, 어떤 방법으로 변화시킬 수 있을까요?

첫 번째 요소 - 생각

하나님은 인간이 4차원을 변화시킬 수 있도록 첫째로 생각(Thinking)을 우리에게 주셨습니다. 생각은 3차원적으로 계산할 수 없습니다. 오직 4차원에서만 나타나는 것입니다. 그것은 두께도 없고, 넓이도 없고, 보이지도 않기 때문입니다. 생각은 영원하고 무궁합니다.

인간의 상상력은 4차원에 소속되어 있습니다. 생각에 일어난 변화는 3차원에 반영됩니다. 성경의 말씀처럼 보이는 것은 나타난 것으로 된 것이 아닙니다. 4차원의 요소인 생각이 부정적인 사람은 3차원에 부정적인 일이 생깁니다. 머리 속에 '나는 안 된다', '나는 못 한다', '나는 불행하고 슬프다' 라는 생각을 가지면 그것이 결국에는 3차원인 몸과 생활과 사업에 그대로 나타납니다. 인간의 몸과 모든 세계는 4차원을 움직이는 요소인 생각을 통해 나타나게 되어있기 때문입니다.

그러므로 긍정적인 생각을 하는 사람은 언제나 자신의 3차원에 긍정적인 역사가 일어납니다. '나는 건강하다', '나는 튼튼하다', '나는 행복하고 좋다' 라는 생각이 3차원에 영향을 미칩니다.

예를 들어 내가 다른 사람을 미워하기로 작정하고 미워하려는 프로그램을 내 생각 속에 지니고 있으면 바로 3차원에 영향을 미칩니다. 다른 사람을 미워하면 내가 먼저 상처 받습니다. 그런 이유에서 예수님께서는 "원수를 사랑하라"고 하신 것입니다. 원수를 사랑하고 용서하고 그를 위해 기도하는 것은 어떤 의미에서 원수를 위함이 아니라 우리 자신을 위한 것입니다. 원수를 미워하면 자기 자신의 3차원에 먼저 파괴가 일어나기 때문입니다. 성경은 "사람의 생각이 그러하면 그 위인도 그러하다"라고 가르치고 있습니다. 저 사람이 망했으면 좋겠다고 생각하면 내 3차원에 그 메시지가 기록되어 내가 망하기 시작합니다. 그렇기 때문에 내 머릿 속에 부정적인 생각을 가지면 남을 해치기 전에 나 자신에게 그 명령이 먼저 진달됩니다. 이렇게 우리는 무엇을 생각하느냐가 중요합니다. 자꾸 모여서 남을 비방하고 욕하면 그 생각이 자신에게 기록되어 그 사람의 3차원의 세계에 그 모든 부정적인 것의 명령을 받습니다. 그래서 서로 모여서 남의 흉을 보고 욕하면 몸이 개운치 않고 기분까지 상하게 되는 것은 모든 부정적인 것이 명령으로 전달되어 그대로 떨어지기 때문입니다.

4차원의 세계는 너와 나의 구별이 없습니다. 오직 메시지만 있습니다. 4차원의 세계에서는 그 메시지가 생각 속에 기록되면 제일 먼저 가장 가까운 나의 몸, 생활 속에 영향력을 미칩니다. 그러므로 비밀이 없습니다. 하나님 앞에서나 4차원의 세계에서는 모든 것이 벌거벗은 것처럼 있는 그대로 다가옵니다.

우리가 혹시 잘못된 생각을 가지게 된다면 '신약과 구약'이라는 두 가지 약을 통하여 치료받아야 합니다. 하나님의 말씀은 4차원에 속한 말씀입니다. 하나님은 "내 말씀은 영이요 생명이라"고 말씀하셨습니다. 말씀은 사람들의 생각을 고치는 능력이 있습니다. 말씀으로 치료되면 우리의 3차원이 변하기 시작합니다.

저는 47년 목회를 하면서 '교회가 안된다' 고 생각한 적이 단 한번도 없었습니다. '교회는 된다', '성도는 모여 온다', '기적은 일어난다' 라고 생각했습니다. 그러면 내 4차원의 세계 속에서 이 긍정적인 메시지를 3차원에 보내줍니다. 그렇기 때문에 저의 목회는 늘 제가 마음에 믿은 대로 이뤄졌습니다. 성경의 "네 믿음대로 될찌어다"라는 말씀처럼 믿음대로 그 결과를 보았습니다. 제가 생각한 것이 저의 3차원 세계에 그대로 이뤄진 것입니다. 믿는 사람들은 성경의 4차원, 즉 성경 말씀을 따라서 생각을 바꾸어야 합니다. 그러면 하나님의 창조적인 기적이 일어나게 됩니다.

두 번째 요소 - 믿음

4차원을 바꾸는 두 번째 요소는 믿음(Faith)입니다. 믿음은 4차원의 세계를 통해 3차원을 바꾸는 강력한 힘입니다. 성경에도 "네 믿음대로 될찌어다", "할 수 있거든이 무슨 말이냐 믿는 자에게는 능치 못할 일이 없느니라"라고 말씀하고 있습니다.

그리고 예수님께서도 "너희가 저 산들을 명하여 바다로 던지우리라고 말하고 마음에 의심하지 말고 믿으면 그대로 된다"라고 말씀하셨습니다. 왜냐하면 믿음은 4차원에 속하고 산은 3차원에 속해 있기 때문입니다. 3차원은 덩치가 아무리 커도 제 스스로는 아무것도 못합니다. 그를 움직이는 4차원이 달라져야 그에 속한 3차원도 달라지는 것입니다. 예수님께서도 4차원의 믿음으로 3차원의 기적들을 모두 이루셨습니다. 그러면 믿음은 어디에서 나옵니까? 성경은 "믿음은 들음에서 나며 들음은 그리스도의 말씀으로 말미암았느니라"고 말씀합니다. 예수를 믿지 않는 사람도 신념으로 일합니다. 신념도 일종의 믿음의 한 부분이라 할 수 있습니다. 그러나 신념은 3차원적인 믿음입니다

짐승들은 영이 없기 때문에 믿을 수 없습니다. 영혼을 가진 사람만이 믿음을 가질 수 있습니다. 그리고 성령님으로 말미암은 믿음을 가지고 있어야 3차원을 움직일 수 있습니다. 믿음은 있어도 좋고 없어도 좋은 것이 아닙니다. 없어서는 안되는 절대적인 것입니다. 그러므로 우리는 항상 믿음으로 살아야 합니다. 그리고 믿음을 고백해야 합니다.

저는 앉아 있을 때나 자동차에 있을 때나 늘 제 자신을 프로그래밍합니다. "나는 나를 구원해 주신 예수님을 믿습니다", "예수님의 보혈로 죄가 용서받았음을 믿습니다", "성령님이 오셔서 나를 거룩하게 하심을 믿습니다", "병이 나음을 믿습니다", "복 받은 것을 믿습니다", "나는 부활하고 영생천국을 얻은 것을 믿습니다", "나는 하나님의 소유된 백성임을 믿습니다"하고 고백합니다. 이렇게 저는 저 자신을 늘 믿음으로 프로그래밍합니다. 여러분도 이렇게 실행하십시오. 그리고 한번 지켜보십시오. 믿음의 프로그래밍을 하는 당신의 삶은 반드시 변화될 것입니다.

세 번째 요소 - 꿈

4차원의 세계를 프로그램하는 또 하나의 요소는 꿈(Dream)입니다. 하나님께서는 "꿈이 없는 백성은 망한다"고 말씀하셨습니다. 꿈이 없으면, 즉 4차원이 꿈으로 프로그래밍 되어 있지 않으면 3차원은 희망이 없습니다. 믿지 않는 사람들도 꿈이 있는 사람이 세계를 변화시키지 않습니까? 그렇다면 꿈의 세계를 쥐고 계신 하나님 안에서 꾸는 꿈은 더 강력한 힘을 가지게 될 것입니다. 하나님의 꿈을 꾸는 우리는 세계를 넘어 모든 것을 움직이게 될 것입니다. 여기서 짚고 넘어가야 할 것이 있습니다. 하나님 안에서 꾸는 꿈은 개인적인 욕망이나 잘못된 욕심과는 매우 다릅니다. 이것들은 사단의 영향을 받은 꿈입니다. 우리는 하나님의 꿈이 이것들과 구별된 꿈이라는 것을 깨달아야 합니다.

나폴레옹은 어린시절부터 온 유럽을 통일시키겠다는 꿈을 가졌습니다. 그 결과 그는 온 유럽을 뒤흔들어 놓았습니다. 히틀러는 온 유럽을 아리안 민족으로 점령하겠다는 꿈을 가졌습니다. 다른 표현으로는 야망일 것입니다. 물론 많은 피의 대가를 치른 바보 같은 꿈이었지만 결국 온 유럽을 초토화시켰습니다. 막스 레닌은 온 세계를 공산화하겠다는 꿈을 가졌습니다. 그것은 3차원에 있는 동유럽을 석권하고 아프리카와 아시아 그리고 온 민족에게 분쟁을 일으키고 결국은 망했습니다.

약한 꿈은 강한 꿈에게 패배합니다. 인간의 꿈보다는 마귀의 꿈이 강합니다. 그러나 마귀의 꿈보다 하나님의 꿈이 훨신 더 강합니다. 그러므로 우리는 성령님으로 말미암아 하나님의 꿈을 가져야 합니다. 꿈은 성령님이 주시는 것입니다. 성령님을 통해 내 마음을 거룩한 꿈으로 프로그래밍 해야 합니다.

사람의 미래는 그가 어떤 꿈을 말하는가를 보면 알 수 있습니다. 제가 오중복음과 삼중축복의 원리를 계속 주장하는 데는 이유가 있습니다. 그것은 십사가를 통해 꿈을 키워주기 위함입니다, 영혼이 잘됨같이 범사에 잘되고 강건한 꿈을 심어주는 것입니다.

현실이 아무리 어려워도 그 마음 속에 꿈이 있다면 그 꿈은 3차원을 점령하고 변화시킵니다. 4차원의 꿈은 3차원의 세계를 부화시킵니다. 아무리 개인생활이 어지럽고 공허해도 올바른 꿈으로 인큐베이터하면 그것이 변화됩니다. 죽음은 생명으로, 무질서는 질서로, 흑암은 광명으로, 가난은 부유로 변화되기 시작하는 것입니다. 변화는 4차원의 세계에서 오는 것입니다.

우리는 꿈을 이루기 위해 열심히 기도하게 됩니다. 기도를 할 때도 역시 4차원을 움직이는 프로그램을 가동시키고 기도하십시오. 그리고 꿈을 명확하게 하기 위해 금식하며 기도하십시오. 그 말은 4차원의 세계를 명확하게 한다는 말입니다. 금식자체로서 하나님의 마음을 변화시킬 수 있다고 생각한다면 그것은 잘못된 생각입니다. 금식은 나 자신을 먼저 변화시키고 자신이 먼저 변화되자 4차원의 세계도 달라져서 하나님께서 역사하시는 것입니다. 다시 말해서 우리의 4차원 그릇이 변화되자 하나님께서 역사하셨다는 말입니다. 금식하며 기도하는 최선의 노력을 다하십시오. 여러분의 꿈은 이제 더 이상 꿈이 아닌 현실이 됩니다.

네 번째 요소 - 말

4차원의 네 번째 요소는 말(Word)입니다. 우리는 말을 통해 인간만이 지닌 고유한 4차원적 특성을 가장 잘 표현할 수 있습니다. 인간은 말을 하기 때문에 문명을 만들고 발전시킬 수 있는 것입니다. 아무리 힘이 세고 사나운 동물이라도 문명을 만들고, 계획하고 발전시키지 못합니다. 그 이유는 4차원의 요소인 말을 가지고 있지 않기 때문입니다.

성경은 "네 입의 말로 네가 사로잡혔다", "말하기 좋아하는 자는 그 열매를 먹으리라", "죽고 사는 권세가 혀에 있다"고 말씀하고 있습니다. 죽고 사는 것은 3차원이지만 혀는 4차원입니다. 말의 권세가 얼마나 큰지를 말씀하고 계신 것입니다. 그래서 성공적인 사람은 말을 조심합니다. 말을 들어보면 그 사람의 3차원이 어떤지를 알게 됩니다. 성공하는 사람은 성공하고자 소망하는 것이 이미 이루어졌다고 말합니다. 그러나 실패하는 사람은 말에서부터 이미 실패를 말합니다. 성경은 구원을 받는 것도 "말로 시인하라"고 가르치고 있습니다. 그러므로 말을 우리의 귀와 마음에 자꾸 들리게 해야 합니다. "주님의 십자가로 나는 구원받았고, 나음을 입었고, 복을 받았다"라고 말로써 선포해야 합니다. 4차원에서 망한다고 말해놓고 3차원에서 성공을 기대하는 것은 헛수고입니다. 땅에서 묶이면 하늘에서 묶일 것이요 땅에서 풀리면 하늘에서 풀린다는 것도 말로서 묶이고 풀리는 것입니다. 부정적인 말은 자신의 4차원에 부정적인 프로그래밍을 하는 것입니다. 다른 사람을 비방하고 욕하는 사람은 자신의 4차원을 그렇게 프로그래밍하기 때문에 다시 자기의 3차원인 욕으로 돌아오는 것입니다. 따라서 어떤 말을 해야 하는가는 굉장히 중요한 것입니다.

그렇다면 어떻게 말을 바꿀 수 있습니까? 하나님께서는 성경 말씀을 통해서 우리가 변화될 수 있도록 해 주셨습니다. 하나님의 말씀은 영이요 생명입니다. 성경 말씀을 암송하고 말하는 것은 우리 자신의 4차원에 굉장한 프로그램을 하는 것입니다. 목사님들이 강단에서 하나님의 말씀을 증거한다는 것은 사람들의 4차원을 뒤 흔드는 강력한 힘입니다. 그렇기 때문에 하나님의 말씀에 순종하는 삶을 사는 사람은 삶 전체가 송두리째 변하는 기적의 역사를 체험하게 됩니다. 당신도 역사의 주인공이 되십시오. 결코 늦지 않았습니다.

당신의 4차원 영적세계는 어떠한가?

오늘날 개인이나 사회와 가정, 모든 곳에 마귀가 들어와서 공허하고 흑암이 깊게 만들었습니다. 어떻게 해야 합니까? 4차원의 생각과 믿음, 꿈 그리고 말로써 이 모든 환경을 부화시켜야 합니다. 그러면 모든 것이 변화됩니다. 우리는 우리가 무엇을 말하고 생각하고 믿고 꿈꾸고 있는지 점검해야 합니다. 그리고 그것은 3차원의 세계를 뒤 흔들고 변화시키는 4차원의 세계라는 것을 알아야 합니다.

우리들의 인생과 사업 그리고 목회가 성공하기 위해서는 그 계획 속에 3차원을 움직이는 4차원의 요소 중 어느 부분을, 어떻게 변화시킬 것인지 진단해야 합니다. 각자의 상황에 따라서 생각, 믿음, 꿈, 말 중 어떤 것을 변화시켜야 하는지 알고, 부족한 부분의 4차원 요소를 하나님의 말씀과 성령의 능력 그리고 기도의 힘으로 바꾸어 영양분을 공급하면 4차원의 세계가 변화되고 그 결과로 3차원의 세계인 우리의 삶이 변화되는 것입니다.

하나님께서 제게 〈4차원의 영적세계〉에 대해 계시하셨고 저는 그것을 책으로 엮었습니다. 먼저 영어로 책을 집필했습니다. 그것을 책으로 접한 모든 미국, 남미, 유럽, 아프리카 사람들이 엄청난 변화를 겪었습니다.

이번에 새롭게 집필하는 「3차원의 인생을 지배하는 4차원의 영성」은 4차원의 세계를 더 쉽게 이해하고 삶에 직접 적용할 수 있도록 구성했습니다. 저는 기하학이나 수학에 관한 자세한 개념은 모르지만 하나님을 통해 1차원은 가상적인 선이며 운명적으로 2차원에 지배당하고 2차원은 존재하자마자 3차원이 지배하고 3차원은 다시 4차원에 지배당한다는 것을 배우고 깨달았습니다. 따라서 인간이라는 존재는 싫든 좋든 태어나자마자 4차원을 다스리시는 하나님께 지배당하는 것입니다. 그러므로 우리는 무엇을 하든지 하나님과 함께 해야 합니다.

예수님을 믿는 사람들이 이것을 모르고 하나님과 떨어져있다고 생각하는 것은 어리석은 생각입니다. 이것을 안다면 우리의 기도가 하나도 땅에 떨어지지 않고 하나님이 다 듣고 계시고 응답하신다는 것을 믿어야 합니다. 구원 받은 사람들은 성령님을 통해 직접적으로 지배당하고 성령 하나님 안에는 예수 그리스도의 복음과 축복이 가득 차 있는 것입니다. 이것을 알고 믿고 꿈꾸고 말하는 사람은 영혼이 잘됨 같이 범사가 잘되지 않을 수가 없습니다. 이것은 하나님께서 이미 우리들에게 약속해주신 것입니다.

그런데 믿음 안에 있으면서도 그렇지 못한 이유는 4차원을 프로그래밍하지 못했기 때문입니다. 그러므로 우리는 성경 말씀대로 생각하고 믿고 꿈꾸고 말하며 행하는 4차원의 프로그램을 생활화 해야 합니다. 그러면 우리 모두에게 놀라운 일이 일어납니다.

기도도 이렇게 4차원의 프로그래밍을 해놓아야 그 능력이 나타나는 것입니다. 기도라는 것은 새롭게 프로그래밍 된 4차원의 요소를 하나님 나라에 올리는 작업입니다. 4차원의 세계를 프로그래밍하고 하나님께 기도하면 우리의 믿음대로 이루어 주시는 것입니다. 성경은 하나님의 믿음대로가 아니라 "네 생각대로, 네 믿음대로, 네 꿈대로, 네 입의 말로"

라고 하시며 우리에게 책임지우십니다. 그것은 우리의 4차원을 우리가 프로그래밍 해야 하나님이 역사하신다는 말씀입니다. 그래서 주기도문에서 "뜻이 하늘에서 이룬 것 같이 땅에서도 이루어지이다" 라고 하는 것입니다. 또 "시험에 들게 하지 마옵시고 악에서 구하옵소서"라고 기도하는 것도 그런 이유에서 입니다.

하나님께서는 아담에게 이 땅을 움직일만한 4차원 세계를 프로그래밍 하도록 "땅을 정복하고 다스리라"고 말씀하셨습니다. 또한 시편 81편에서 "네 입을 넓게 열라"고 말씀하셨습니다. 여기서 입은 4차원을 말합니다. 우리가 4차원을 프로그래밍하면 하나님께서 도와주신다 약속하신 것입니다.

지금까지 강조한 4차원의 영성을 깨닫고 실행하면 우리의 삶은 바뀌게 됩니다. 이제 서로 모여서 이야기 할 때 다른 사람을 깎아 내리고 험담하기보다 서로 자신의 4차원을 무엇으로 프로그래밍할지 이야기 하십시오.

우리는 하나님 앞에서 감추지 못합니다. 4차원의 하나님 앞에 벌거벗긴 채로 점령당한 존재입니다. 우리가 4차원의 세계를 잘 프로그래밍하면 축복이 쏟아지게 됩니다. 지금도 늦지 않았습니다. 지금 이 순간부터 새롭게 프로그래밍 하십시오. 새 사람이 될 것입니다. 성공하게 되어 있습니다. 성령님의 프로그램을 말씀을 통해 받아들이면 창조적인 역사가 일어납니다. 이 진리는 깊고 심오합니다. 하나님께서 가르쳐 주셨기 때문입니다. 여러분의 생활과 환경 속에서 이 진리를 직접 체험하시길 바랍니다. 이제 당신의 4차원인 생각, 믿음, 꿈, 말을 기도와 말씀과 성령으로 훈련시키십시오. 당신의 삶은 이미 변화되고 있습니다.

4차원의 영성 자가진단

당신은 4차원의 영성을 가진 사람입니까?

지금까지 우리는 4차원의 영성이 무엇인지에 대해 살펴보았습니다. 그렇다면 당신은 4차원의 영성을 소유하고 있는지 생각해보십시오. 다음의 문항들은 절대적인 기준은 아니더라도 4차원의 영성을 자가진단 하는데 적합한 내용이라고 생각합니다. 각 문항에 답해보시고, 그 결과에 따라 자신이 부족한 부분에 대해 집중적으로 훈련하는 기회로 삼기 바랍니다.

체크리스트

전혀 아니다↔매우 그렇다

	문항	1	2	3	4	5
1	하나님을 묵상하며 하루 일과를 시작한다.	1	2	3	4	5
2	매일 꾸준히 성경읽기와 기도하는 습관을 갖고 있다.	1	2	3	4	5
3	일상가운데 내 기대 이상으로 하나님의 인도하심을 경험하는 편이다.	1	2	3	4	5
4	기도나 대화중에 성경말씀을 인용하거나, 성경적 언어를 사용하려고 애쓰는 편이다.	1	2	3	4	5
5	매사에 부정적인 면보다 긍정적인 면을 생각하려고 애쓴다.	1	2	3	4	5
6	어려운 문제가 생기면 인간적 고민보다는 기도와 말씀묵상을 통해 해결하려 한다.	1	2	3	4	5
7	내가 소원하는 것이 인간적인 욕심보다는 성경에 부합하는 것인지 점검하곤 한다.	1	2	3	4	5
8	상대방을 격려하고 칭찬하는데 익숙한 편이다.	1	2	3	4	5
9	누군가 잘못을 했더라도 화내기보다 참고 인내하는 편이다.	1	2	3	4	5
10	주위에 함께 기도하는 사람이 2-3명 이상 있다.	1	2	3	4	5

평가해보십시오

각 문항에 해당하는 점수를 옮겨 적으십시오.
그리고 난 다음에 같은 줄끼리 더하셔서 '합계' 란에 기록하시면 됩니다. 일반적으로 해당사항마다 합계한 점수가 20점 이상이면 강점을, 10점 이하이면 약점을 가지고 있다고 볼 수 있습니다.

체크점수										합계
1	___	5	___	9	___	13	___	17	___	생각
2	___	6	___	10	___	14	___	18	___	믿음
3	___	7	___	11	___	15	___	19	___	꿈
4	___	8	___	12	___	16	___	20	___	말

11 | 하나님이 나에게 주신 비전과 은사를 알고 있다. 1 2 3 4 5

12 | 말하기 전 먼저 충분히 생각하고서 상대방이 받아들일 수 있도록 말한다. 1 2 3 4 5

13 | 내 생각 가운데, 부정적인 요소(불안, 분노, 열등감 등)를 의식하고 기도한다. 1 2 3 4 5

14 | 일단 기도하면 이루어질 때까지 인내하며 포기하지 않는 편이다. 1 2 3 4 5

15 | 꿈을 이루어가는 과정에서 구체적인 기도와 준비를 하고 있다. 1 2 3 4 5

16 | 평상시 말할 때 반복해서 긍정적인 언어를 사용하는 편이다. 1 2 3 4 5

17 | 자신이 구원받고 축복받은 자라고 생각한다. 1 2 3 4 5

18 | 새벽·철야기도 등 각종 기도모임에 열심히 참석한다. 1 2 3 4 5

19 | 자신의 꿈을 주변 사람들에게 나누고 기도부탁을 하고 있다. 1 2 3 4 5

20 | 가끔 예기치 못한 상황에 처할 때도 부정적인 언어를 사용하지 않는 편이다. 1 2 3 4 5

---

* 이 후에 펼쳐지는, 이 책의 2부를 통해 4차원의 영성에 대해 체계적으로 깨닫게 되며 보다 더 구체적으로 스스로를 자가진단할 수 있을 것입니다.

2

2부

당신안의 4차원 영적세계를 바꾸라!

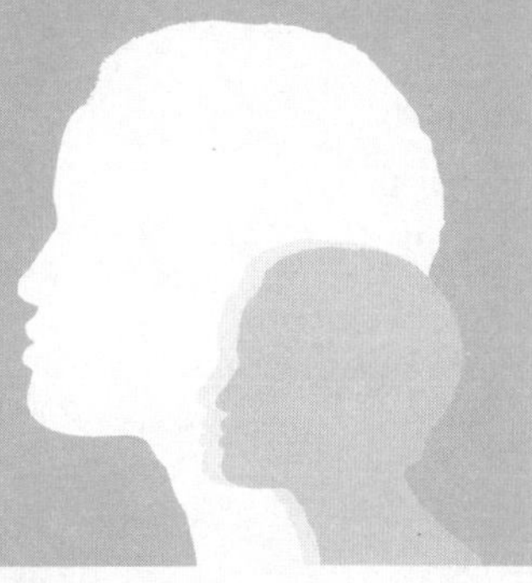

당신의 4차원의 생각, 이렇게 바꾸라

① 생각

❶ 하나님의 방식대로 생각하라

❷ 생각을 긍정적인 프로그램으로 바꾸라

❸ 생각의 부정적 체질을 파악하고, 지배하라

❹ 항상 5가지의 복음과 3가지의 축복을 생각하라!

당신안의 4차원 영적세계를 바꾸라

1장 생각

당신의 4차원의 생각, 이렇게 바꾸라

"육신의 생각은 사망이요 영의 생각은 생명과 평안이니라"
(로마서 8:6)

생각은 육신적인 생각과 영적인 생각으로 나뉠 수 있습니다. 성경은 사람이 육신적인 생각보다는 영적인 생각을 하고 사는 것이 얼마나 중요한지를 가르쳐 주고 있습니다.

로마서 8장 5절에서 7절을 보면 "육신을 따르는 자는 육신의 일을 성령을 따르는 자는 성령의 일을 생각하나니 육신적으로 생각하는 것은 사망이요 영적으로 생각하는 것은 생명과 평안이니라. 육신의 생각은 하나님과 원수가 되나니 이는 하나님의 법에 굴복치 아니할 뿐 아니라 할 수도 없음이라"고 말씀하고 있습니다. 삶과 죽음을 결정짓는 것도 바로 생각에 달려 있다는 엄청난 말씀입니다.

생각은 행동에 영향을 미친다

사람은 어떤 일이 가능하다고 생각하는 만큼 그 일을 할 때 성공할 가능성도 높습니다. 안될 것을 생각하면 행동이 미치지 못할 확률이 높고, 된다는 생각을 가지면 당연히 행동에 가속도가 붙고 적극적인 행동을 하게 되는 것입니다.

사람의 심리는 조금씩 진전을 이루기보다 어떤 한계를 돌파하면 비약적으로 발전하는 행동이 보이기도 합니다. 운동선수들은 사람이 1마일을 4분 안에 달리는 것이 불가능하다고 믿어왔습니다. 그래서 한때는 1마일(1.6km)을 4분 내에 주파할 수 없다고 알려져 "마의 4분"이라는 말이 유행했었습니다. 그래서 전 세계에서 열리는 육상경기마다 최고의 육상선수들이 1마일을 달리는 데 4분 이상이 걸렸습니다. 그러나 그 장벽도 영국의 육상 선수 로저 베니스터에 의해 깨지고 말았습니다.

그렇게 된 이유는 로저 베니스터는 4분대 기록을 깨보기 위해 자신의 달리기 방식과 전략을 바꾸는 시도를 하였습니다. 그는 보다 빨리 달리는 것이 가능하다고 믿었고 이 같은 목표를 이루기 위하여 여러 달 동안 자신의 달리는 패턴을 바꾸는 데 노력을 쏟았습니다. 1954년, 로저 베니스터는 처음으로 4분 안에 1마일을 달린 사람이 되었습니다. 놀랍게도 베니스터가 이 기록을 깬 후 전 세계에서 최고의 육상선수들이 4분 이내에 1마일을 돌파하게 되었습니다. 그렇게 해서 베니스터 이후 중거리 달리기는 발전을 거듭하게 됐습니다.

베니스터의 경우와는 달리, 다른 선수들은 이제까지 달리던 방식을 바꾸지도 않았습니다. 바꾼 것이 있다면 '나도 할 수 있다'는 생각이었습니다. 더 빨리 달리는 것이 가능하다고 믿자 이러한 생각에 뒤따라 행동

변화가 일어난 것입니다. 이처럼 어떤 일이 가능하다고 믿을수록 그러한 행동을 할 가능성이 높아지는 것입니다.

생각은 신체반응에 영향을 미친다

생각은 신체반응에도 영향을 미칩니다. 재미있는 영화나 흥미로운 책, 그리고 신문이나 잡지 기사를 읽고 영상이나 글에서 묘사하는 장면을 마음속으로 상상할 때 사람들의 신체도 그대로 반응합니다. 재미있는 장면을 떠올리면 몸은 가볍고 활발해집니다. 그리고 영화의 무서운 장면을 상상할 때면 심장박동이 빨라지고 로맨틱한 장면을 생각하면 흥분되기도 합니다.

그래서 운동선수들은 실전 훈련을 위해 생각 훈련을 먼저 합니다. 생각과 신체반응 사이에는 강력한 연결관계가 있습니다. 감독과 코치는 선수들이 달아오르고, 아드레날린이 넘쳐흐르기를 기대하면서 고무적인 연설을 합니다. 사격이나 양궁선수들은 생각을 활용해 안정감을 찾고 자신감을 얻습니다. 수영이나 육상선수들은 경기에 참가하고 있는 자신의 모습을 상상하도록 훈련받습니다. 연구결과에 따르면 운동선수들이 이런 생생한 상상을 하면, 실제로 운동할 때 사용하는 근육이 조금씩 수축된다고 합니다.

생각의 태도가 건강에 실제로 영향을 미치기도 합니다. 암 선고를 받은 후 환자가 가지는 생각의 태도가 남은 생존기간을 결정짓는다고 합니다. 예를 들어 암 선고를 사형 선고처럼 받아들이고 즉시 낙심하고 죽음과 장례식을 생각하는 사람은 이 사실을 다르게 받아들이고 그래도 희망을 갖고 긍정적인 생각을 하는 사람보다 오래 살지 못했다고 합니다.

이처럼 생각은 긍정적인 결과와 부정적인 결과를 낳을 수 있는 실체입니다. 생각은 눈으로는 보이지 않지만 3차원의 인생을 결정하는 4차원의 중요한 요소입니다. 이제 여러분의 생각을 다음과 같이 바꾸어 실행해 보십시오. 당신의 인생이 바뀌는 엄청난 결과를 낳을 것입니다.

1. 하나님의 방식대로 생각하라

무조건적 낙관주의는 인본주의적 생각입니다. 말씀묵상을 통해, 하나님의 생각을 닮으십시오. 하나님과 대화하면서 내 생각을 점검, 성찰, 회개하고서 바꾸십시오.

생각은 감정과 행동 그리고 신체반응에까지 영향을 미칩니다. 그렇다고 무조건 긍정적으로만 생각하는 것이 삶의 모든 문제를 해결해 주는 것은 아닙니다. 그것은 인간적인 4차원의 생각입니다. 능력 있는 생각은 성령과 말씀 그리고 기도가 함께 하는 하나님 안에서의 4차원적인 생각입니다. 성령님과 함께 하는 말씀과 기도는 3차원의 상황을 긍정적, 부정적, 중성적 측면에서 바라보면서 새로운 결론이나 해결책을 얻을 수 있도록 하는 강력한 능력입니다. 그렇기 때문에 우리는 우리의 생각이 아닌 하나님의 주권 안에 있는 생각을 가져야 합니다.

성경말씀을 생각에 적용시키라

말씀은 위대한 능력을 가지고 있습니다. 말씀으로 온 세상 만물이 창조 되었으며, 말씀을 통해 모든 기적과 이사가 행해졌습니다. 예수님께서도 광야에서 시험받으실 때 마귀의 유혹을 즉시 말씀으로 물리치셨습니다. 이 권능의 말씀을 우리의 생각에 고정시켜 삶에 적용시킨다면 놀라운 변화가 일어나게 되는 것입니다.

우선 말씀을 늘 가까이하되, 읽는 것에 그쳐서는 안됩니다. 우리는 필요한 때에 언제든지 무기삼아 선포할 수 있는 말씀을 기억하고 있어야 합니다. 악한 영의 세력들을 대적함에 있어 성경말씀을 사용하는 것 보다 더 좋은 방법은 없습니다. 그러므로 말씀암송계획을 세우고 그것을 실행하는 것이 좋습니다. 반복해서 외우고 또 외우십시오. 이미 암기하고 있는 성구도 잊어버리지 않도록 지속적으로 외우십시오. 그렇게 하면 성령의 검을 손에 쥐게 될 것입니다.

그 다음으로 말씀을 묵상해야 합니다. 복 있는 사람은 오직 여호와의 율법을 즐거워하여 주야로 묵상한다(시 1:1,2)고 했습니다. 묵상은 하나님의 말씀을 이해하고, 생활에 적용할 수 있도록 되새기는 역할을 해 줍니다. 언제 어디서나 늘 묵상하기에 힘쓰십시오. 말씀을 들으면서도 묵상하고, 읽으면서도 묵상하고, 공부하면서도 묵상하고, 암송하면서도 묵상하십시오. 날로 더욱 더 커져가는 우리의 생각과 믿음을 보게 될 것입니다.

저는 우리 교회 교회학교 교사인 정문식 집사님의 책을 읽고 굉장한 감동을 받았습니다. 그는 현재 이레전자 사장인데 처음 사업을 하게 된 동기가 주일성수를 잘하고, 주일학교 교사를 제대로 봉사하기 위해서였습니다. 그는 주일에도 근무해야 하는 회사를 그만두고 12년 전에 개인 사업을 시작했습니다. 10살 때 부친을 잃고 야간학교를 고학으로 졸업하고 3년간 다닌 직장의 퇴직금 50만원을 가지고 5평짜리 지하 차고에서 사업을 시작했습니다. 그러나 견딜 수 없을 정도로 너무 힘이 들어서 차라리 죽어야겠다고 생각한 적도 있었다고 합니다.

절망 가운데 있던 어느 날 그는 "거짓되고 헛된 것에 미혹되지 말라. 환경을 바라보지 말고 절대 긍정적인 믿음으로 하나님을 의지하고 나가라"는 말씀을 듣고서, 그 말씀에 새 힘을 얻고 환경을 이겨냈습니다. 그가 좌절과 절망과 고통을 극복할 수 있었던 비결은 바로 영적인 양식을 올바르게 먹었기 때문이었던 것입니다. 하나님의 말씀을 듣고 묵상하며 힘을 얻었습니다. 주일을 성수하고 더 열심히 교회학교에 봉사하고 매년 십일조 생활과 선교헌금을 힘껏 드렸습니다. 또 교회학교에 장학금도 심었습니다. 이렇게 주님 안에 거하며 성실한 생활을 하게 된 그는 지금 연간 1천억의 매출을 내는 국내 최고의 중소기업 사장으로 우뚝 섰습니다. 무엇이 그를 그렇게 바꾼 걸까요? 정문식 집사님은 그 자신의 생각이 아닌 하나님의 말씀대로 생각하고 생활했기 때문입니다. 이것은 중요한 사실을 가르쳐 줍니다. 축복의 근원은 우리의 삶이 하나님의 말씀대로 준행하며 생각하는 삶이 될 때 이룰 수 있다는 것을 말합니다. 여러분의 생각을 하나님 말씀으로 채우십시오.

말씀을 닮아가는 생각

사람의 생각은 럭비공과 같아서 어디로 튈지 모르는 예측 불허의 요소입니다. 생각은 지식과 감정과 의지가 섞여서 작용하기에 더욱 그렇습니다. 이처럼 예측할 수 없는 생각을 길들이고 바른 길을 가도록 인도하는 것이 하나님의 말씀인 성경입니다. 생각이 성경말씀에 사로잡히고 말씀을 따라 순종하기 시작할 때 열매를 맺고 3차원의 환경이 변화되는 능력으로 나타나게 되는 것입니다.

우리는 하나님의 말씀인 성경을 통해 생각을 바꿀 수 있습니다. 성경은 살아계신 하나님의 능력 있는 말씀이기 때문입니다. 히브리서 4장 12절은 "하나님의 말씀은 살았고 운동력이 있어 좌우에 날선 어떤 검보다도 예리하여 혼과 영과 및 관절과 골수를 찔러 쪼개기까지 하며 또 마음의 생각과 뜻을 감찰하나니"라고 말씀하고 있습니다.

우리는 우리에게 능력 주시는 주 하나님을 통해 모든 환경을 이겨낼 수 있으며, 모든 것을 할 수 있다는 믿음을 빌립보서 4장 13절에 기록된

"내게 능력 주시는 자 안에서 내가 모든 것을 할 수 있느니라"라는 말씀을 통해서 얻을 수 있습니다. 포기하려는 우리의 생각이 이 말씀으로 바뀌게 되는 것입니다.

하나님께서는 우리를 사랑하사 독생자 예수를 피 값으로 치르고 우리에게 모든 것을 주셨습니다. 그렇기에 우리는 세상, 즉 3차원을 이기신 주 예수 그리스도 안에서 모든 것을 할 수 있다는 것을 늘 기억해야 합니다. 사망의 음침한 골짜기를 지날지라도 주께서 우리와 함께 계시고 주님의 날개 아래 있다는 것을 믿을 때, 우리는 비로소 평안을 얻게 됩니다. 눈에는 아무 증거 안 보이고 귀에는 아무 소리 안 들리고 손에는 잡히는 것 없이 앞길이 칠흑같이 어두워도 주께서 나와 동행하신다는 확신만 있다면 우리의 생각은 긍정적으로 성장해서 모든 좌절과 절망을 이길 힘이 생겨나게 되는 것입니다.

생각을 바꾸면 열매가 나타납니다. 온전한 열매는 성경의 4차원, 즉 말씀을 좇아 생각을 바꿀 때 맺히게 됩니다. 그리고 하나님의 창조적인 기적이 일어나는 것입니다. 마음과 생각을 말씀을 통해 온전히 붙들어 매십시오. 당신의 생활과 환경 속에 하나님의 나라가 가득 차서 언제나 승리의 삶을 살게 될 것입니다.

성령님을 닮아가는 생각

우리가 예수님을 구주로 영접하면 성령이 우리 안에 임재하시고, 성령의 세례를 받게 되고, 성령으로 충만해지면서 하나님의 기쁨이 우리 마음속에 가득 차게 됩니다. 오순절 마가의 다락방에 모인 제자들에게 성령이 임하자 제자들은 그동안 그 어느 곳에서도 느껴보지 못한 굉장한 환희를 체험했습니다. 그리고 이로 말미암아 제자들은 예수님께 충성하는 믿음과 사랑의 에너지를 충전하게 된 것입니다.

우리의 마음이 기쁨으로 가득 차야 일할 의욕이 생기고, 어떤 난관이 다가와도 극복하며 나갈 수 있습니다. 기쁨을 잃고 사기가 떨어지면 아무것도 할 수 없습니다. 그러나 성령으로 충만함을 받고 마음이 기쁨으로 충만하게 되면 놀라운 용기와 기쁨이 생겨나는 것입니다. 성령이 오셔서 기쁨과 함께 담대함이 생기면 어떠한 역경 가운데도 담대하게 복음을 전할 수 있게 됩니다.

예수님을 모른다고 세 번이나 부인했던 베드로가 성령으로 충만함을 받게 되자 하루에 3천명을 전도하고, 이튿날에는 성전 미문가의 앉은뱅이를 일으키고 5천명을 회개시켜 많은 영혼을 예수님께로 인도하는 위대한 지도자가 되었습니다. 우리의 마음속에 성령의 담대함이 들어오면 살든지 죽든지 흥하든지 망하든지 성하든지 쇠하든지 예수 그리스도를 전하는데 두려워하지 않게 되는 것입니다. 이것은 우리의 힘이 아니고 성령의 역사로 이루어진 것입니다.

예수님의 제자들은 어부들이나 세리와 같은 세상 사람들이 생각하기에어리석고 보잘 것 없는 사람들이었습니다. 그러나 이들이 성령으로 충만하자 그들 가운데 기쁨의 에너지가 솟구쳐 오르기 시작했습니다. 패배의식으로만 꽉 찬 생각은 용기와 담력과 충성심으로 바뀌어 예수님을 증거하며 예루살렘에서 유대로, 사마리아로, 로마로, 땅 끝까지 복음을 증거 하도록 만들었습니다.

성령의 충만을 받으면 우리의 생각이 성령님을 닮게 됩니다. 그래서 긍정적이고 창조적으로 바뀌고 무엇이든 할 수 있다는 믿음으로 가득 채워지면서 담대해지는 것입니다.

2. 생각을 긍정적인 프로그램으로 바꾸라

어떠한 문제에 직면하든지, 부정적으로 드는 생각을 스스로 설득하여 긍정적인 생각으로 바꾸십시오. 죽음을 이기신 예수님처럼 당신도 절망을 이길 수 있습니다.

저는 47년 동안 목회를 하면서 '목회가 안된다' 고 생각해 본 적이 없습니다. '교회는 성장하고 성도는 모여오고 기적은 일어난다.' 라고 생각했습니다. 부정적이고 좌절스런 생각이 조금이라도 틈타면 즉각 대항했습니다. 합력해서 선을 이루시는 하나님을 고백하고 긍정적인 생각으로 바꿨습니다. 이렇게 저의 4차원 세계 속에 입력된 올바른 메시지는 3차원으로 전달되어 생각이 바뀌고 자신감이 생겨 힘 있는 목회를 할 수 있었습니다. 그렇기 때문에 나의 목회는 늘 마음에 하나님이 그려주신 생각대로 이루어졌습니다. 제가 믿음으로 생각한 것이 저의 3차원에 계속해서 이루진 것입니다.

새마음 운동과 새마을 운동

1960년대 당시 박정희 군사정권 시절 경제개발운동이 일어났습니다. 수많은 사람들이 너도나도 서울로 상경했습니다. 아무런 기반 없이 무작정 상경한 사람들은 아현동, 냉천동에 판잣집을 짓고 생활을 했습니다. 우리 교회는 그 지역을 천국 1번지라고 했습니다. 하나님이 가장 어려울 때 우리를 도우시는 분이라는 걸 알고 있었기 때문입니다. 최자실 목사님과 저는 그런 환경 속에 있는 사람들에게 복음을 전하기 시작했습니다. 저는 그때 서대문에서 강력한 성령운동을 전개했었습니다.

"하나님께서 우리에게 성령으로 세례를 주시고, 성령을 통하여 방언을 말하게 하시며 성령의 아홉 가지 은사를 허락해 주십니다. 성령을 받으십시오."

저는 이처럼 성령충만하고 성령의 아홉 가지 은사를 받으라는 것을 강력히 증거했습니다. 그리고 특별히 우리 성도들에게 마음을 새롭게 하라는 '새마음 운동' 을 강하게 전개했습니다.

그러던 어느 날, 박정희 대통령이 저를 청와대에 불렀습니다. 그리고는 제게 이렇게 물었습니다.

"조 목사님, 우리 민족을 새롭게 하고, 농어촌을 변화시킬만한 새로운 아이디어 없습니까?"

저는 자신있게 대답했습니다.

"대통령 각하, 우리의 생각을 바꿔야만 변화가 일어날 수 있습니다. 할 수 있다는 긍정적인 생각을 갖도록 '새마음 운동'을 시작하십시오, 각 곳에 교회가 있으니 그 교회를 중심으로 '새마음 운동'을 시작하면 놀라운 역사가 일어날 것입니다."

그러자 박 대통령이 김현옥 내무부장관을 불렀습니다.

"조 목사가 '새마음 운동'을 하라고 하는데 자네 생각은 어떠한가?"

김 장관이 대답했습니다.

"좋은 아이디어라고 생각합니다. 그런데 종교적인 편향이 보입니다. 각하, '새마음 운동'을 '새마을 운동'으로 바꾸는 것이 좋겠습니다."

대통령은 제 생각이 어떠냐고 물었습니다. 그래서 저는 아무리 새마을 운동을 해도 마음이 달라지지 아니하면 절대로 새로운 운동이 크게 일어나지 않을 것이라고 말했습니다. 그리고 마음이 달라지려면 교회를 중심으로 '새마음 운동'을 먼저 해야 된다고 주장했습니다. 결국엔 '새마을 운동'으로 전국적으로 퍼져나갔습니다. 그러나 그 핵심은 마음을 먼저 바꾼다는 것에 있기에 각처의 교회를 중심으로 '새마음'으로 시작한 '새마을 운동'이 활발히 이루어졌습니다.

저는 '새마음 운동' 으로써 희망을 선포했습니다. 고린도후서 5장 17절은 "그런즉 누구든지 그리스도 안에 있으면 새로운 피조물이라 이전 것은 지나갔으니 보라 새것이 되었도다"라고 기록되어 있습니다. 그래서 우리 성도들의 마음속에 부정적인 생각을 없애기 위해서 좋으신 하나님을 강력하게 전파했습니다. 그리고 할 수 있다, 하면 된다, 해보자라는 긍정적인 믿음을 가지십시오. 나는 못한다, 안된다, 할 수 없다는 생각을 하지 말고, 주님의 놀라운 기적을 믿으십시오"라고 강력히 선포했습니다.

그때는 생활이 너무나 어렵기 때문에 인간적 이성으로서는 살아갈 길이 없었습니다. 그래서 저는 이렇게 설교했습니다.

"기적을 믿으십시오. 홍해를 가르시고 여리고를 무너뜨리신 하나님께서 오늘날 지금 이 시간에도 살아 계십니다. 그래서 가난은 물러가고 축복이 다가 올 것입니다. 믿음으로 기적을 기대하십시오." 그리고 살아계신 하나님의 말씀을 입으로 시인하고 말씀 속에서 믿음과 꿈을 가지도록 했습니다. 빌립보서 4장 13절 "내게 능력 주시는 자 안에서 내가 모든 것을 할 수 있느니라." 로마서 8장 28절 "우리가 알거니와 하나님을 사랑하는 자 곧 그 뜻대로 부르심을 입은 자들에게는 모든 것이 합력하여 선을 이루느니라" 그리고 마가복음 9장 23절 말씀인 "예수께서 이르시되 '할 수 있거든이 무슨 말이냐 믿는 자에게는 능치 못할 일이 없느니라' 하시니" 등 믿음과 기적의 말씀들을 거듭거듭 입으로 말하게 했습니다.

성도들이 처음에는 어색해 했지만 말씀의 양식을 먹을수록 영적으로 강건해지고 배에서 솟아나는 믿음을 직접 체험하자 더욱 더 강하게 선포하는 생활을 하게 되었습니다.

큰 생각, 큰 성장

한국과 세계의 지도적인 주의 종들은 여의도순복음교회와 저의 제자들의 교회가 왜 하나 같이 대형교회가 되는지 알고 싶어합니다. 무슨 특별한 비결이라도 숨겨 놓고 교계에 내어 놓지 않느냐는 의문의 눈도 있습니다. 저는 원리와 비밀을 설명해 주는 가장 간단한 방법으로 옛날 속담인 "왕대밭에 왕대가 난다"를 인용해 대답하곤 합니다.

저의 제자들은 제가 여의도순복음교회에서 하고 있는 큰 목회 스타일을 보고 배우고 자라면서 생각의 틀이 커져 있습니다. "할 수 있다. 하면 된다."라는 저의 생각을 따라 같이 생각하고 그림을 그리고, 목회철학을 배우기 때문에 생각이 커져간 것입니다. 생각은 똑같은 모양으로 머물러 있는 존재가 아니라 커지고 자라는 속성을 가지고 있습니다.

제자들은 왕대밭의 큰 교회, 큰 목회를 보면서 생각을 성장시킨 것입니다. 생각의 성장은 성숙의 질과 양적인 면에서 깊은 관련이 있습니다. 사람의 생각은 창조성이 있기 때문입니다. 물론 목회는 외형의 크기로만 판단될 수 없습니다. 농어촌의 작은 교회도 하나님의 뜻과 섭리가 있습니다. 여기서 크기를 논한 것은 생각의 크기가 현실을 만든다는 측면에서 한 말입니다. 보고 생각하는 것이 작으면 작은 현실의 열매를 맺고 큰 생각은 큰 열매를 맺을 가능성이 높다는 얘기입니다. 중요한 것은 자신이 바라는 영역에 대해 긍정적이고 적극적인 4차원의 생각을 성장시켜야 한다는 점입니다. 그렇지만 무조건 큰 생각을 한다고 큰 열매가 나타나는 것은 아닙니다. 생각은 시작일 뿐 그 생각에 맞는 행동이 뒤따라야 합니다. 예를 들면 농부가 가을에 많은 수확을 얻고자 하는 생각만 가지고 씨를 뿌리지 않는다면 열매를 거둘 수 없는 것처럼 생각을 가졌으면 반드시 행동의 씨를 뿌려야 합니다.

저의 47년 목회를 돌아 보건데, 저는 생각만 크게 한 것이 아니라 그 생각을 이루기 위해 피나는 기도와 헌신 그리고 연구와 노력을 했었습니다. 생각이 현실로 자라게 하기 위해서는 우리의 노력과 헌신이 반드시 필요합니다.

생각을 긍정적인 프로그램으로 바꾸라

성경은 보이는 것은 나타난 것으로 된 것이 아니라고 가르치고 있습니다. 그러니까 보이는 3차원은 보이는 3차원의 산물이 아니라 보이지 않는 4차원의 영향을 받는다는 것입니다. 따라서 4차원의 요소인 '생각'이 부정적인 사람은 당연히 지배 받는 3차원에 부정적인 일이 생기고 긍정적이고 적극적인 사람은 생각처럼 좋은 일이 일어나게 된다는 것입니다다.

우리의 몸은 일종의 4차원 컴퓨터실입니다. 이 컴퓨터의 전원을 켜고 프로그램을 만드는 재료 중의 하나가 생각입니다. 생각은 4차원의 세계에 파장을 일으킵니다. 그 파장은 3차원에 영향을 미치고 우리의 삶에 결과를 출력하도록 만듭니다.

이 생각의 프로그램이 어떤 프로그램으로 만들어졌느냐에 따라 결과가 출력되는 것입니다. 예를 들어 우울하고 부정적이고 병든 생각의 프로그램은 3차원의 요소인 우리 생활과 몸 전체에 우울하고 부정적인 프로그램을 전하게 됩니다. 생각이 우울하고 분노로 가득 차게 되면 몸에 자동적으로 프로그램이 실행되어 스트레스를 받고 병이 생깁니다.

그러나 긍정적인 것으로 생각의 프로그램을 창조하는 사람은 언제나 자신의 3차원에 긍정적인 역사가 일어납니다. "나는 건강하다" "나는 행복하다", "기분 좋다"라는 생각이 3차원에 영향을 미치기 때문에 삶이 활기차고 즐겁고 생기가 있게 되는 것입니다.

또 설득적인 사고방식을 가져야 합니다. 설득적인 사고방식은 '할 수 있다'는 사고방식입니다. 범사에 소극적이 되어서 나는 못해! 나는 안 돼! 나는 할 수 없어! 나는 절망이다! 라는 생각을 가져서는 안됩니다. 적극적인 사람이란 할 수 있다고 믿는 것입니다. 믿는 자에게는 능치 못할 일이 없는 것입니다. 적극적인 사고방식을 가진 사람은 언제나 그 마음속에 신념을 가진 사람입니다. 할 수 있다. 하면 된다. 해보자! 라는 사고방식으로 목표를 설정하고 계획을 세워 실천하면서 실패할 것을 생각하지 마십시오. 언제나 성공할 것을 생각하며 칠전팔기의 적극적인 사고방식을 가지십시오.

3. 생각의 부정적 체질을 파악하고, 지배하라

인간의 타락으로 말미암아, 인간의 생각에는 부정적인 요소가 가득 차 있습니다. 분노, 절망, 불안 등을 없애지 않으면, 꼬리에 꼬리를 물고서 점점 더 커집니다.

타락한 성품을 지닌 우리 사람의 생각은 근본적으로 부정적인 요소로 이루어져 있습니다. 그래서 부정적인 생각을 하면 또 다른 부정적인 생각이 꼬리에 꼬리를 물게 됩니다. 사람들의 생각의 체질에는 부정적이고 파괴적으로 만드는 요소들이 있습니다. 그것은 우리의 마음속에 일어나는 크고 작은 미움과 분노, 공포와 불안, 슬픔과 좌절 그리고 죄악과 세속의 파도입니다.

이러한 삶 속에서 승리하기 위해서는 생각의 체질을 바꾸어야 합니다. 생각은 어떤 것에 영향을 받고 물이 드느냐에 따라 그 체질이 만들어집니다. 생각은 영향을 주는 요소에게 순응하는 체질이기 때문에 절대적으로 긍정적이고 창조적이며 생산적인 환경의 영향을 받도록 해야 합니다. 따라서 4차원 생각의 부정적 요소인 분노, 두려움, 부정적 환경 등과 맞서 싸울 필요가 있습니다.

분노를 제거하라

우리 마음속에 있는 분노는 부정적인 생각의 프로그램을 만듭니다. 분노는 또 다른 분노를 만듭니다. 잠언 15장 18절은 "분을 쉽게 내는 자는 다툼을 일으켜도 노하기를 더디하는 자는 시비를 그치게 하느니라."고 말씀하고 있습니다. 분노는 하나님의 의를 이루지 못합니다. 분을 내면 파괴적이고, 종말적인 감정이 일어나서 올바른 판단을 내리지 못하게 만드는 것입니다.

제2차 세계대전 당시 히틀러가 전쟁에 패한 근본 이유는 그의 분노 때문입니다. 독일의 히틀러는 명석한 두뇌와 뛰어난 관찰력 그리고 예리한 판단력과 비상한 통치력도 갖고 있었습니다. 그러나 반면에 얼마나 화를 잘 내던지 자기의 비위를 조금만 상하게 해도 미움과 분노가 충천하기 때문에 부하들은 제대로 보고를 하지 못했습니다. 그는 영국과 프랑스 등 자유진영과 힘겨운 전쟁을 하면서도 일시적인 분노로 말미암아 주력부대를 빼돌려 소련을 침공했는데 바로 그것이 그의 일생일대의 돌이킬 수 없는 실수가 되고 말았습니다.

그리고 연합군이 노르망디 상륙을 감행하였을 때 소련 쪽으로 향하던 기갑사단만 그쪽으로 돌리면 상륙을 저지할 수 있음을 뻔히 알면서도 그의 부관은 낮잠 자는 히틀러를 겁내 깨우지 못했습니다. 잠을 깨웠다가는 벼락같은 화가 떨어지기 때문입니다. 이렇게 히틀러는 항상 사소한 일에 분노를 폭발시켰습니다. 히틀러가 한참 잠을 자고 일어났을 때는 이미 연합군이 노르망디에 완전히 상륙하여 진지를 구축한 뒤였고 이로 인해 독일이 패망하게 된 것입니다. 히틀러의 분노가 결정적으로 독일제국을 패망에 이르게 만든 것입니다.

두려움을 이겨라

우리는 마음속에 일어나는 불안과 공포, 그리고 슬픔과 좌절에 대한 두려움을 이겨내야 합니다. 그것은 소망과 삶의 활력을 빼앗아가고 암담하게 만들기 때문입니다.

요한일서 4장 18절은 "사랑 안에 두려움이 없고 온전한 사랑이 두려움을 내어 쫓나니 두려움에는 형벌이 있음이라 두려워하는 자는 사랑 안에서 온전히 이루지 못하였느니라."고 말씀하고 있습니다. 두려움에는 형벌이 따릅니다. 암을 두려워하면 암이 형벌로 오고, 가난을 두려워하면 가난이 형벌로 오고, 전쟁을 두려워하면 전쟁이 형벌로 다가오는 것입니다.

슬픔의 두려움은 마음속에서 소망을 빼앗아 갑니다. 슬픔은 여름 장마비처럼 가슴을 적시며 흘러내리는 것입니다. 슬픔이 마음에 가득하면 삶을 부정적으로 만들고 희망을 빼앗아 가버립니다. 우리 인생은 슬픔을 피할 수 없습니다. 많은 사람들이 겉으로는 웃고 있지만 가슴으로는 슬픔을 빗물처럼 흘리고 있습니다. 슬픔은 이처럼 우리의 생각의 체질을 부정적으로 바꾸는 요소입니다.

좌절의 두려움도 생각의 체질을 부정적으로 바꾸고 삶을 포기하게 만듭니다. 인생을 살면서 고난을 당해도 좌절하지 않고 극복하고 일어날 수 있는 것은 하나님 안에서 소망을 갖는 길밖에 다른 길이 없습니다.

부정적 환경을 초월하라

우리는 태어날 때부터 부정적인 세계에서 태어났습니다. 우리는 하나님께 범죄하고 에덴에서 쫓겨나 저주받은 이 세상에 살기 때문에 온 전신에 저주가 꽉 들어차 있습니다. 이러므로 우리는 자연히 어릴 때부터 늘 '못한다, 안 된다, 할 수 없다, 사는 것이 힘들다, 괴롭다' 하며 늘 부정적인 것을 보고 듣고 말하고 살았기 때문에 부정적인 것에 절여져 있습니다. 신문을 봐도, 텔레비전 뉴스를 들어도 다 부정적인 소식뿐입니다. 정부의 잘못, 정치인들의 부정부패, 회사에서 일어나는 탈세와 횡령 등 모든 것이 부정적인 소식입니다. 텔레비전에서 방영하는 드라마도 대개가 연애하다가 실패한 것, 가정이 파괴되는 것 등, 이런 것들을 테마로 삼아서 방송합니다. 얼마나 부정적인 것에 찌들었는지 부정적인 것을 보면 같이 훌쩍 훌쩍 울면서 좋아해도, 좋은 것은 봐도 별로 재미없어 합니다. 이와 같이 우리는 부정적인 환경에 태어나서, 부정적인 환경 속에 살고, 또 마귀가 끊임없이 와서 우리의 마음에 부정적인 생각을 집어넣습니다. 그런데 우리가 이렇게 부정적인 생각을 늘 하고 있으면 성공적인 인생을 살 수 없습니다. 생각은 하나님이 역사하시는 그릇입니다. 내가 부정적인 생각을 하면 긍정적인 하나님의 역사가 나타날 수 없습니다.

저는 강단에서 실교할 때 성도의 영혼 속에 4차원의 세계를 변화시키려는 계산 하에 설교합니다. 특히 생각의 영역을 바꿔주려고 노력합니다. 고장난 성도들의 생각의 4차원을 고쳐주면 긍정적인 열매는 자연스럽게 열리기 때문입니다.

고장난 4차원의 생각은 삶을 긍정적이고 창조적인 생각과 마음으로 보지 못하게 합니다. 누구든지 자기의 무능력과 환경의 절망만을 바라보면 인생의 배는 침몰하고 맙니다. 이 세상에 무능력하지 않은 사람은 한 사람도 없습니다. 그런데 이 무능력을 부정적인 생각으로 극대화시키는 사람은 삶의 의욕을 잃고 절망의 늪 속으로 빠져들고 마는 것입니다. 그런 자신의 환경을 초월해서 긍정적이며 적극적이며 창조적이고 생산적인 생각을 하는 사람은 그 생각의 열매를 따게 되는 것입니다.

눈에 보이는 현상과 실상이 다른 경우가 많습니다. 현재 눈에 보이는 성은 높고 그 땅에 사는 백성은 장대하여 비교해 보면 우리 스스로가 메뚜기 같아 보입니다. 또한 그 땅은 황무하고 광야같이 보입니다. 그러나 이처럼 눈에 보이는 현실은 실제와는 다를 수 있습니다. 우리가 살고 있는 이 땅 지구는 현재 우리 눈에는 평평하게 보입니다. 높은 산에 올라가 보아도 우리 시선이 미치는 곳까지 이 지구는 평평하게 보입니다. 그래서 옛날 사람들은 집을 멀리 떠나지 말라고 했습니다. 배를 타고 바다 멀리 가지 못하도록 했습니다. 이유는 지구는 평평하기 때문에 땅 끝이나 바다 끝에까지 가면 그 후에는 낭떠러지가 있어서 떨어져 죽는다고 생각하는 선입견이 있었기 때문입니다.

그러나 실상은 이와 다릅니다. 오늘날 우리는 이 지구가 둥글다는 것을 압니다. 이처럼 눈에 보이는 현실과 실상은 같지 않습니다. 또한 지구는 움직이지 않는 것 같습니다. 우리가 생활하면서 느낄 정도로 이 지구가 흔들리거나 진동하지 않기 때문입니다. 그러나 실상 지구는 맹렬하게 자전을 하고 있으며 무시무시한 속도로 태양을 중심으로 공전하고 있습니다. 그러나 현재 우리 눈으로는 그것이 보이지도 않고, 느껴지지도 않습니다. 이처럼 느낌과 선입견을 버리고 환경과 감각을 초월하는 생각을 가질 때 기적을 체험하게 되는 것입니다. 생각은 환경과 감각을 앞서는 4차원의 요소입니다.

우리는 예수 그리스도의 십자가 안에서 날마다 환경을 초월해 변화할 수 있습니다. 십자가는 죽은 자를 살리는 능력이요 없는 것을 있게 하는 힘이며 절망을 희망과 소망으로 바꾸는 권능입니다. 십자가를 바라봄으로써 얻게되는 환경을 초월하는 긍정적인 4차원의 생각은 그 능력을 현실로 바꾸는 원동력입니다.

4. 항상 5가지의 복음과 3가지의 축복을 생각하라!

당신은 이미 복받은 사람입니다. 생각의 부요의식을 가지십시오.
당신의 생각창고에 복음과 축복의 기쁨을 넣으십시오.

저는 성도들에게 5가지의 복음과 3가지의 축복을 늘 생각하라고 가르쳤습니다. 성경은 모든 것이 선하고, 착하고, 칭찬할만하고, 될만한 것을 생각하라고 가르치고 있습니다. 그래서 저는 매일같이 이러한 복음과 축복을 생각합니다.

'나는 용서받고 의롭게 된 사람이다. 나는 거룩하고 성령 충만한 사람이다. 나는 병 고침 받은 사람이다. 나는 저주에서 해방된 사람이다. 나는 영생복락을 누린 사람이다.'

그리고 '내 영혼이 잘되고 범사에 잘되고 강건하다.'고 늘 생각합니다. 그것은 저의 4차원을 완전히 승리와 성공과 부요와 축복으로 채워 넣으면 당연히 3차원은 따라오도록 되어있기 때문입니다.

여러분도 여러분의 생각을 승리와 성공과 부요하다는 것으로 채우십시오. 왜냐하면 우리는 이미 그것을 갖고 있기 때문입니다.

복음과 축복을 생각할 수 있는 근거

한국전쟁 동안 우리민족은 굉장한 고난의 삶을 살았습니다. 당시에는 화차가 석탄을 싣고 나오면 개미떼같이 올라가서 그 석탄을 훔쳐내곤

했습니다. 그러다 군인들이 뛰어오면 모두 화차에서 뛰어내려 도망을 칩니다. 그러던 어느 날 이었습니다.

그날도 사람들이 개미떼같이 올라가서 석탄을 끌어 내리고 있었습니다. 한 10살쯤 되어보이는 어린아이가 올라가서 석탄을 끌어내리고 아버지는 밑에서 석탄을 줍고 있었습니다. 그런데 큰 석탄덩어리 하나가 떨어져서 화차 밑으로 들어갔습니다. 그 순간 군인들이 뛰어오자 그 어린 소년도 사람들을 따라 뛰어내렸습니다. 그런데 큰 석탄덩어리가 화차 밑에 있는 것을 보고는 그것을 끄집어내겠다고 화차 밑으로 소년이 기어 들어가자마자 기차가 '철커덕' 하고 움직이기 시작합니다.

모든 사람들이 고함을 쳤습니다. 저도 고함을 쳤습니다. 그러나 아무도 그 아이를 구하려고 뛰어 들어가는 사람이 없었습니다. 그런데 기차 밑으로 쏜살같이 뛰어 들어가는 한 사람이 있었습니다. 그 아이의 아버지였습니다. 그 아이를 밀어내기는 했지만 아이의 아버지는 기차에 깔리고 말았습니다. 지금도 그때를 생각하면 아찔합니다. 그 아버지는 기차에 깔려 죽어가면서도 그 소년을 밀어내고 빨리 멀리 가라고 손을 흔들었습니다. 기차가 다 지나가고 그 아버지는 결국 죽고 말았습니다.

그때 저는 생각했습니다. '왜 저 사람은 뛰어 들어가 어린아이를 밀쳐내면서 까지 자기 목숨을 버렸을까? 아이는 다시 낳으면 될 것을... 무엇 때문에 자기가 죽어야 했을까?'

그때는 제가 중학생 이었기 때문에 자식을 낳은 부모의 심정을 이해할 수가 없었습니다. 하지만 아버지가 된 지금은 이해할 수 있습니다. 그렇습니다. 아버지의 사랑에는 무슨 이론이나 논리가 없습니다. 사랑은 죽음보다 강하기 때문에 자식을 살리기 위해서 뛰어드는 희생과 용기가 생겨난 것입니다. 그 아버지는 능히 자기를 구원할 수 있고 능히 스스로 살아갈 수 있는데도 불구하고 자식 때문에 자기를 희생한 것입니다.

하나님도 마찬가지입니다. 우리를 너무도 사랑하시기에 모든 것을 희생해서라도 구원하기 원하십니다. 그래서 독생자 예수 그리스도를 보내신 것입니다. 하나님이 친히 육신을 입고 오셔서 십자가에 못 박히셨던 것입니다. 이런 하나님의 사랑을 깨닫고 하나님이 함께 하신다는 확신이 생기면 마음이 담대해 집니다. 4차원의 생각에 변화가 오는 것입니다. 하나님이 함께 하시니까 능치 못할 일이 없구나 하는 생각의 명확한 근거가 생기는 것입니다. 그리고 실제 삶 가운데서 '할 수 있다' 의 생각으로 과감하게 전진할 때, 승리와 기적을 체험하게 되는 것입니다.

부요의식의 근거는 그리스도의 부활

우리는 이미 축복을 가졌다는 부요의식을 무엇으로 증명할 수 있습니까? 그것은 예수 그리스도가 십자가에서 죽었다가 부활하신 것을 통해서 발견할 수 있습니다. 그의 생명을 내놓으시기까지 우리를 사랑하시며 모든 것을 주시기 원하시는 하나님의 마음이 십자가를 통해 보여진 것입니다. 그러므로 이 좌절과 절망의 가슴 속에 십자가를 끌어안으면 사망과 음부도 물러가고 부활과 영광이 비치게 됩니다. 십자가의 죽음과 부활이 가져온 희망과 부요의식은 모든 좌절과 절망의 쓴 물을 완전히 변화시켜 단물로 만드는 것입니다.

로마서 8장 35절에서 39절은 "누가 우리를 그리스도의 사랑에서 끊으리요 환난이나 곤고나 핍박이나 기근이나 적신이나 위험이나 칼이랴 기록된바 우리가 종일 주를 위하여 죽임을 당케 되며 도살할 양같이 여김을 받았나이다 함과 같으니라 그러나 이 모든 일에 우리를 사랑하시는 이로 말미암아 우리가 넉넉히 이기느니라 내가 확신하노니 사망이나 생명이나 천사들이나 권세자들이나 현재 일이나 장래 일이나 능력이나 높음이나 깊음이나 다른 아무 피조물이라도 우리를 우리 주 그리스도 예수 안에 있는 하나님의 사랑에서 끊을 수 없으리라"고 말씀하고 있습니다. 이처럼 예수님의 십자가 능력과 부활의 영광이 우리를 변화시켜 우리 가슴과 생각 속에 절망의 쓴물을 희망의 단물로 만들어 주십니다.

지금까지 4차원 영적세계의 첫 번째 요소인 "생각"에 대해서 함께 나누었습니다. 4차원의 생각을 육신적으로 하느냐, 영적으로 하느냐에 따라 우리의 인생이 천차만별로 달라집니다. 이 생각의 영역이 거룩한 열매를 거두기 위해서는 첫째, 성령님의 인도와 지배를 받는 것이 중요합니다. 성령님은 생명과 평안을 주시는 분이기 때문입니다. 우리의 생각이 성령님께 사로잡히고 성령님과 함께 생각하는 것을 배우기 시작할 때 우리가 바라고 소원하는 일들이 성령님에 의해 이루어져 가는 것입니다. 생각은 서로에게 영향을 주고받는 것이기 때문에 우리가 성령님의 주권 아래에서 영향을 받기 위해서는 성령님을 주인으로 삼고 늘 함께 생각하고 함께 상의하고 함께 교제하는 친밀한 삶이 필요한 것입니다.

둘째, 우리의 생각이 영적인 호흡이며 하나님과의 대화인 기도로 표현되어져서 생각이 기도에 의해 움직여 질 때 생각은 열매로 나타나는 것입니다. 기도는 4차원의 생각을 현실로 바꾸는 힘입니다. 모든 일의 주권자가 하나님이시기 때문에 기도로 의뢰하고 맡기고 간구할 때 하나님이 응답이라는 열매가 나타나도록 하십니다. 기도는 3차원의 행위지만 4차원을 움직이는 실제입니다. 하나님께서 인간에게 교제할 수 있는 방법의 특권을 주셨는데 그것이 기도입니다. 하나님의 뜻과 생각에 사로잡혀서 올려 드리는 기도야 말로 하나님의 마음을 움직이는 능력이 됩니다.

셋째, 생각이 성경말씀에 사로잡히게 해야 합니다. 사람의 생각은 어디로 튈지 모르는 예측 불허의 요소입니다. 생각은 지식과 감정과 의지를 가지게 됩니다.

이처럼 예측할 수 없는 생각을 길들이고 바른 길을 가도록 인도하는 것이 하나님의 말씀인 성경입니다. 생각이 성경말씀에 사로잡히고 말씀을 따라 생각이 순종하기 시작할 때 생각은 열매를 맺고 3차원의 환경이 변화되는 능력으로 나타나게 되는 것입니다. 이제 이것을 알게 된 우리는 우리의 생각을 바꿔야 합니다. 하나님의 생각으로 채워진 우리의 삶은 언제나 밝게 빛나는 태양과 같은 기쁨과 소망의 나날이 될 것입니다.

4차원의 **생각**

이렇게 바꾸라

1. 하나님의 방식대로 생각하라

무조적적 낙관주의는 인본주의적 생각입니다. 말씀묵상을 통해, 하나님의 생각을 닮으십시오. 하나님과 대화하면서, 내 생각을 점검, 성찰, 회개하고서 바꾸십시오.

2. 생각을 긍정적인 프로그램으로 바꾸라

어떠한 문제에 직면하든지, 부정적으로 드는 생각을 스스로 설득하여 긍정적인 생각으로 바꾸십시오. 죽음을 이기신 예수님처럼, 당신도 절망을 이길 수 있습니다.

3. 생각의 부정적 체질을 파악하고, 지배하라

인간의 타락으로 말미암아, 인간의 생각에는 부정적인 요소가 가득 차 있습니다. 분노, 절망, 불안 등을 없애지 않으면, 꼬리에 꼬리를 물고서 점점 더 커집니다.

4. 항상 5가지의 복음과 3가지의 축복을 생각하라!

당신은 이미 복받은 사람입니다. 생각의 부요의식을 가지시기 바랍니다.
당신의 생각창고에 복음과 축복의 기쁨을 넣으십시오.

:: 이 표를 사용하시기 전에 ::

- 이 표는 4차원 영성의 4가지 변화(생각, 믿음, 꿈, 말)의 실행력을 높여주는 강력한 도구입니다.
- 한 주에 한 가지씩의 지침을 실천하십시오. 매일 저녁에 하루를 돌아보며, 실행여부에 따라 ○ △ × 로 체크해 보십시오.
- 1개월 혹은 4개월 뒤에 놀라운 변화를 눈으로 확인할 수 있습니다.

○ : 변화를 위해서 오늘 하루 동안 1회 이상 실천했다.

△ : 시도는 했지만, 생각 만큼 잘되지 않았다.

× : 실천을 잘 하지 못했다.

4차원의 생각 실행점검표

오늘 당신의 4차원 영적세계는 어떠하셨습니까?

4차원의 생각을 바꾸면, 3차원의 인생이 바뀐다!

생각을 바꾸라!

1. 하나님을 묵상하며 하루 일과를 시작하였다.
   - 하루 일과를 시작하기 전 말씀묵상 (　　)절, 기도시간 (　　)분을 가지십시오.
2. 오늘 나에게 직면한 과제에 대해 부정적인 면보다 긍정적인 면을 생각하였다.
   - 나의 과제에 대한 긍정적인 요소- (　　), (　　)이 있는지 생각해 보십시오.
3. 오늘 내 생각 가운데 부정적인 요소(불안, 분노 등)를 의식하고 기도하였다.
   - 나의 생각 중에 부정적인 요소- 불안, 분노, (　　), (　　)등을 놓고서 기도하십시오.
4. 오늘 나 자신이 구원받고 축복받은 자라고 생각하였다.
   - '나(　　)은(는) 하나님의 자녀'라고 (　　)회 이상 고백하십시오.

생 각

"육신의 생각은 사망이요 영의 생각은 생명과 평안이니라" (로마서 8:6)

주	실행지침	일	월	화	수	목	금	토
1주	하나님을 묵상하며 하루일과를 시작하였다							
2주	오늘 나에게 직면한 과제에 대해 부정적인 면보다 긍적적인 면을 생각하였다							
3주	내 생각 가운데 부정적인 요소(불안, 분노 등)를 의식하고 기도하였다							
4주	오늘 나 자신이 구원받고 축복받은 자라고 생각하였다							

당신의 4차원의 믿음, 이렇게 바꾸라

② 믿음

❶ 바라봄의 믿음법칙을 사용하라

❷ 부정적으로 유혹하는 환경과 싸우라

❸ 3차원 인생의 짐을 주께 맡기라

❹ 항상 믿음으로 사는 법을 학습하라!

당신안의 4차원 영적세계를 바꾸라

2장 믿음

당신의 4차원의 믿음, 이렇게 바꾸라

"예수께서 이르시되 할 수 있거든이 무슨 말이냐 믿는 자에게는 능치 못할 일이 없느니라 하시니"(마가복음 9:23)

앞이 캄캄하고 아무것도 보이지 않는 상황에 닥쳤을 때, 당신은 어떻게 하십니까?

우리는 강한 믿음을 가지고 있다 하면서도 막상 이런 상황을 맞게 되면 그 믿음을 지키기 어렵습니다. 왜냐하면 보이는 3차원의 모든 것들이 우리의 생각과 마음을 부정적이고 혼란스럽게 흔들어 놓기 때문입니다. 우리는 이때 눈에 보이는 현상을 직시하지 말고 4차원에 계신 하나님을 생각하고 의지해야 합니다. 그래야 이런 상황을 극복할 수 있습니다. 그러면 하나님께서 그 믿음의 큼을 보시고 은혜로 그 모든 것을 이겨낼 힘을 주십니다. 또 기적을 베푸십니다. 우리가 어떤 상황에서 어떤 모습으로 있던지 하나님만 생각하며 믿음을 굳게 세우십시오. 놀라운 주님의 역사가 일어날 것입니다.

20여 년 전의 일이었습니다. 호주의 애들레이드에서 부흥회를 인도하고 그 다음으로 퍼스에서 성회를 인도하게 되었는데 호주 항공사의 파업으로 인해 비행기 운항이 중단되었습니다. 애들레이드에서 퍼스까지는 대형 여객기로 3시간, 자가용 비행기로 5시간이 소요되는 거리입니다. 그래서 퍼스의 성회 관계자에게 항공사 파업으로 갈 수가 없다고 전화를 했습니다. 그러자 퍼스 측에서는 성회를 대대적으로 준비했고 성도들이 모두 기다리고 있는 형편이라 취소할 수 없다며 자가용 비행기를 보내겠다는 것이었습니다.

얼마 후 자가용 비행기가 도착해 비행기에 몸을 실었습니다. 그런데 그 비행기는 수동으로 작동되는 것으로써 자동항법장치도 없어 육로인 고속도로를 따라 가야만 했습니다. 그렇게 약 3시간쯤 지날 무렵 갑자기 큰 폭풍이 몰아쳤습니다. 구름이 꽉 들어차고 시계(視界)는 제로가 되었습니다. 눈앞이 그야말로 깜깜해 진 것입니다. 아무것도 보이지 않았습니다. 비행기를 더 이상 운행할 수 없게 되자 조종사는 최후 수단으로 라디오 주파수를 따라서 방향잡기를 시도하며 제게 부탁했습니다. “주파수를 찾을 동안 목사님께서 조종간을 붙들고 계십시오.” 순간 너무나 당황스러웠습니다. 그러나 막다른 골목에 봉착했으니 별 도리가 없었습니다. 조종간을 잡고 균형을 유지하려고 하는데 바람이 세차게 불어 견디기 힘들 정도였습니다. 그 순간 내가 할 수 있는 일은 없었습니다. 죽음의 기로에 선 저는 그저 하나님만 의지할 수밖에 없었습니다. 그래서 조종간을 잡고 “주여, 살려주옵소서.”라고 외쳤습니다. 폭풍우를 지나는 순간은 마치 생지옥과도 같았습니다.

그렇게 2시간 동안 실랑이를 벌이는 가운데 갑자기 멀리서 희미한 불빛이 보이기 시작했습니다. 퍼스의 불빛이었습니다. 그것은 죽음에서 생명에 이르는 불빛이었습니다. 그 불빛을 따라 비행기를 움직여 퍼스에 무사히 도착하게 되었습니다. 성회 참석자들은 안전하게 도착한 것이 기적이라고 했습니다. 이 모든 것은 하나님의 은혜요 권능이셨습니다. 육신의 눈으로는 아무것도 보지 못했지만, 하나님께서 인도해 주셨던 것입니다.

믿음이란 육신의 눈에는 보이지 않는 마음의 실체입니다. 더구나 하나님과의 관계에서 믿음이란 절대적인 조건입니다. 히브리서 11장 6절에 "믿음이 없이는 기쁘시게 못하나니 하나님께 나아가는 자는 반드시 그가 계신 것과 또한 그가 자기를 찾는 자들에게 상 주시는 이심을 믿어야 할지니라."고 말씀하고 있습니다. 하나님께서 우리에게 아무리 좋은 것을 주시려고 해도 우리가 믿지 않으면 모두 허사가 됩니다. 믿음은 하나님의 뜻과 마음을 현실화시키는 능력입니다.

그러므로 우리는 항상 주 예수 그리스도 안에서 믿음으로 살아야 합니다. 성경은 "의인은 믿음으로 말미암아 살리라."고 교훈하고 있습니다. 하나님의 세계는 모든 것을 믿음으로 보아야 합니다. 믿음은 보지 못하는 것의 실상이기 때문에 믿음의 눈으로 없는 것을 있는 것으로 보아야 합니다. 이렇게 하나님의 은총을 바라볼 때 우리 삶 속에 그것들이 현실로 나타나는 것입니다.

이제 모든 현실을 바라봄의 믿음법칙으로 믿고, 우리의 부정적인 환경과 생각을 주께 맡기는 여러분이 되십시오. 이렇게 믿음으로 사는 법을 터득한 우리는 언제나 삶의 승리자가 될 것입니다.

1. 바라봄의 믿음법칙을 사용하라

목표를 바라보되, 있는 것처럼 바라보십시오. 실체를 바라보십시오.
마음속에 소원을 품은 후, 이미 이루어진 현실로 믿고 기도하십시오.

인도네시아는 인구의 2억 중 약 10퍼센트인 2천만 명이 예수를 믿고 있습니다. 이슬람국가 임에도 불구하고 수없이 많은 사람이 순교를 당하고 고난을 당하면서 교회를 지키고 부흥시킨 결과 2천만이나 되는 많은 사람들이 예수를 믿는 아시아 최대의 크리스천 국가가 되었습니다. 게다가 세계에서 가장 큰 예배당을 가진 교회를 수루바야에 두게 되었습니다. 아브라함 알렉스 목사님이 시무하는 그 교회는 좌석수가 2만 5천석입니다. 저도 그곳에서 부흥회를 인도한 적이 있었는데, 이건 교회가 아니라 완전히 운동장 같았습니다. 2만 5천명이 한 번에 다 앉을 수 있는 교회는 세계에서 인도네시아 하나 밖에 없다고 합니다.

저는 아브라함 알렉스 목사님의 교회에서 집회하면서 그 둘째 아들을 보고 감동을 느꼈습니다. 그 둘째 아들은 아버지를 도와서 전국에 기독교 서점을 세워 경영하고 있었습니다. 그 아들은 태어날 때부터 뇌성마비로 태어난 아이였습니다. 온 전신이 다 비뚤어져 생활하기도 매우 힘들어 보였습니다. 온 이슬람교도들이 목사가 자식을 낳았는데 뇌성마비 자식을 낳았다고 손가락질하고 하나님이 살아 계시면 왜 저 모양이냐고 비판을 받는다며 알렉스 목사님은 제게 하소연 했습니다.

"우리 아들을 어떻게 할까요? 목사님, 난 이 아들을 데리고 목회를 할 수 없습니다."

"알렉스 목사님, 하나님 앞에서 바라봄의 믿음법칙을 사용하십시오. 예수님께서 십자가를 지심으로 우리 연약한 것을 친히 담당하시고 병을 짊어지고 가셨기 때문에 당신의 병이 어떠한 형태라 할지라도 십자가 뒤에 두고, 오직 십자가만 바라보고 기도하면 치료될 것입니다. 십자가를 통해 아들을 바라보세요. 완전히 치료받고 건강한 모습의 정상적인 아들이 된 것을 바라보십시오. 그 모습을 그리면서 매일같이 아들을 위해서 기도하십시오."

알렉스 목사님은 그날부터 눈을 뜨자마자 아들 방으로 향했습니다. 아침에 아들 방으로 가서 십자가를 통하여 아들이 완전히 낳은 모습을 바라보고 하루 종일 아들 앞에서 기도를 했습니다. 그 다음 날도 또 그 다음 날도, 한 달 동안 계속 기도했는데도 아무 일도 일어나지 않았습니다. 시간이 흘러 두 달을 그렇게 계속 기도해도 아무 일도 안 생겼습니다. 세 달째 들어와서는 저에게 연락이 왔습니다. 울음 섞인 목소리였습니다.

"조 목사님, 세 달을 기도해도 우리 아들은 그대로 뇌성마비인 채로 있습니다. 저는 어떻게 해야 합니까?"

순간 저는 아주 난처했습니다. 괜히 그 말을 해서 저까지 책임을 짊어지고 가슴 조이게 되었다는 생각이 스쳐갔습니다. 이는 사단의 생각이었습니다. 저는 다시 믿음으로 마음을 추스리고 이렇게 말했습니다.

"기왕 세 달째까지 왔으니 끝까지 믿음을 지킵시다. 계속해서 바라보고 함께 기도합시다."

이렇게 우리는 계속 기도하기로 마음먹었습니다. 그런데 기적이 나타났습니다. 네 달쯤 지나고 나서 아침에 아들 방에 들어가자 아들이 "아버지"하고 불렀습니다. 웬일입니까? 아들이 멀쩡한 모습으로 완전히 나아 있었습니다. 온몸이 뒤틀어지고 삐틀어진 모습은 전혀 찾을 수 없었습니다. 기적이 나타난 것입니다. 그 아들은 지금 건장한 청년으로 성장하여 가정을 이루고 자식을 셋이나 둔 주의 종으로써 아버지를 돕고 있습니다. 이것은 아무리 보아도 인간의 이성으로는 이해할 수 없을 것 입니다. 그것은 당연합니다. 기적은 4차원의 결과이기 때문입니다. 보이는 세계인 3차원의 생각으로는 있을 수 없는 일입니다.

이처럼 기적을 체험하고 싶으면 성령의 인도하심을 따라 4차원의 영성인 바라봄의 '믿음법칙'으로 믿어야 합니다. 아브라함이 어떻게 믿음의 조상이 되었습니까? 그는 끊임없이 꿈꾸고 하나님을 믿었기 때문에 믿음의 조상이 된 것입니다. 아브라함이 애굽에서 나왔을 때 하나님은 그를 높은 언덕으로 올라가게 하시고 말씀하셨습니다. 성경은 "롯이 아브람을 떠난 후에 여호와께서 아브람에게 이르시되 너는 눈을 들어 너 있는 곳에서 동서남북을 바라보라 보이는 땅을 내가 너와 네 자손에게 주리니 영원히 이르리라"(창 13:14-15)고 말씀하고 있습니다.

하나님께서는 먼저 아브라함에게 바라보게 하시고 그 다음에 믿음을 주셨습니다. '바라봄'과 '믿음'은 동전의 앞뒤와 같습니다. 바라보는 것은 4차원이지만 3차원을 바꾸는 믿음과 연결될 때 기적이 나타나는 것입니다. 히브리서 11장 1절에서 2절은 "믿음은 바라는 것들의 실상이요 보지 못하는 것들의 증거니 선진들이 이로써 증거를 얻었느니라."고 말씀하고 있습니다. 이처럼 믿음은 바라보는 것의 실상이며 증거인 것입니다.

심고 거둘 것을 기대하라

저는 항상 그의 나라와 그의 의를 먼저 구하고 또 믿음으로 심고 기적이 일어날 것을 기대하며 살아왔습니다. 여의도에 교회를 지을 때 저는 생애 처음으로 어렵게 마련했던 서울 냉천동 집을 주님께 바쳤습니다. 기도하는 중에 하나님께서 '너의 집을 하나님께 심으라. 그렇게 하면 하나님께서 그것을 통해서 기적이 일어나게 해주실 것이다'라고 말씀하셨습니다.

서른살에 결혼한 후 어렵게 마련한 조그만 집 한 채를 모두 주님께 바친다는 것은 목사인 저에게도 참으로 힘든 일이었습니다. 그렇지만 결국 순종했습니다. 그러자 하나님께서 큰 기적을 일으켜 주셨습니다. 우리가 여의도에 땅을 사서 교회를 짓고 더 넓은 하나님의 사역을 할 수 있도록 그 터전을 마련해 주신 것입니다. 제가 드린 액수가 중요한 것이 아니라 하나님의 말씀에 순종해 믿음의 씨앗을 심었다는 것을 기특하게 보신 것입니다.

사람은 무엇을 심든지 그대로 거둡니다. 적게 심는 자는 적게 거두고 많이 심는 자는 많이 거둡니다. 이것은 자연법칙일 뿐 아니라 하나님 앞에서 영적인 법칙이기도 합니다. 심지 않고는 거둘 수 없습니다. 그리고 심으면 반드시 거둘 것을 기대해야만 되는 것입니다. 씨를 심어 놓고 수확을 얻을 것을 기대하지 않는 농부를 보았습니까? 우리는 하나님께 우리의 전부도 다 드릴 수 있다는 믿음을 가지고 있어야 합니다. 이런 마음이어야 하나님 앞에 기적을 기대할 수 있습니다. 하나님께서는 예수 그리스도의 십자가를 통하여 이미 우리에게 영혼이 잘되고 범사에 잘되며 강건하고 생명을 얻되 풍성히 얻도록 복을 주셨습니다.

갈라디아서 6장 7절에서 9절은 "스스로 속이지 말라 하나님은 만홀히 여김을 받지 아니하시나니 사람이 무엇으로 심든지 그대로 거두리라 자기의 육체를 위하여 심는 자는 육체로부터 썩어진 것을 거두고 성령을 위하여 심는 자는 성령으로부터 영생을 거두리라 우리가 선을 행하되 낙심하지 말지니 피곤하지 아니하면 때가 이르매 거두리라"고 말씀합니다. 하나님 안에서 성령의 법으로 심고 거두십시오. 당신은 축복의 근원이 될 것입니다.

기도의 내용을 발전시키라

받은 줄로 마음에 확신이 들어오고, 받았다고 생각이 되고, 바라봄의 법칙으로 바라보게 될 때까지 기도하였으면 이제는 기도의 말을 달리해야 합니다. 받은 줄로 확신하고 난 다음에도 계속해서 "낫게 해 주십시오, 허락해 주십시오."라는 기도는 믿음이 없는 기도입니다.

이미 구했으면 이때부터는 "하나님께서 나를 고쳐주셨으니 감사합니다.", "하나님이여, 이미 고쳐주셨으니 더욱 낫게 하여 주옵소서."라고 기도해야 합니다. 이미 나았으나 증상이 사라지는 데에는 시간이 걸립니다. 성령님이 우리에게 나았다고 확신을 주시는데도 자꾸 "고쳐주옵소서. 고쳐주옵소서."하면 "이 사람아, 고쳐주었는데 웬 잔소리가 많으냐." 하십니다. 그렇게 하면 불신앙의 말이 되어 버리고 맙니다.

자녀들의 구원을 위해 간절히 기도하다가 어느 시간이 지나면 마음속에 '이제 다들 구원받았다'는 마음의 확신이 생깁니다. 마음의 확신이 왔어도 여전히 자녀들은 교회에 나오지 않고 놀러 다니고 자기 일에 바쁩니다. 그러면 마음에 자꾸 의심이 생기려고 합니다. 마음에 확신은 왔어도 현실이 그렇지 않기 때문입니다. 그때 이렇게 기도해야 하는 것입니다.

"아버지 하나님! 우리 맏아들은 이미 구원을 받았으니 빨리 주님 앞에 불러주옵소서. 우리 둘째 딸도 이미 구원을 받았으니 돌아서게 하여 주옵소서. 우리 막내아들도 이미 구원을 받았사오니 이제 세속으로 돌아다니지 않게 하여 주옵소서." 이것이 믿음의 기도입니다.

직장을 위한 기도도 마찬가지입니다. 열심히 기도한 당신의 마음에는 이미 좋은 직장을 얻었다는 확신이 있을 겁니다. 그런데 자꾸 "직장 주옵소서." 라고 계속 기도하면 "이 사람아, 직장을 주었다고 했는데 왜 그렇게 잔소리가 많으냐." 하고 주님이 꾸짖으실지도 모릅니다. 이럴 때는 이렇게 기도하십시오. "하나님! 직장을 주셨으니 감사합니다. 하나님께서 주셨으니 빨리 나타나게 하여 주옵소서. 이미 직장을 주셨으니 빨리 나타나게 하여 주옵소서."

없는 것이 있는 것처럼 믿어지는 그때는 없는 것을 있는 것처럼 말해야 하는 것입니다. 이렇듯 바라봄의 믿음법칙을 적용하는 기도를 할 때는 중언부언 하지 말고, 정확하게 확신 있는 기도를 하나님께 아뢰시기 바랍니다.

2. 부정적으로 유혹하는 환경과 싸우라

믿음을 포기하도록 하는 수많은 유혹들이 있습니다. 싸워 이기십시오. 평안이 올 때까지 기도하십시오. 뜨겁게 부르짖어 기도하십시오.

우리는 하나님 안에서 바라보고, 믿고, 꿈을 꾸었습니다. 그러나 눈에 보이는 환경은 우리를 포기하게 하고, 절망하게 합니다. 그러나 결코 여기서 멈추고 놓아서는 안됩니다. 이 모든 것들은 우리가 싸워 이겨야 할 대상들입니다. 인내와 끈기를 갖고 끝까지 싸워 이기는 사람들에게 믿음 가운데 바라본 것들은 실상이 되어 나타납니다.

"믿습니다. 아이고 그런데 안 믿어지네~"

폭발적인 부흥을 하던 1960년대 당시 우리 교회가 처음으로 금요철야예배를 시작했습니다. 그 당시 한국에는 철야예배가 없었습니다. 그런데 처음으로 금요철야예배를 시작한 것이 오늘날 전국적으로 전파되었습니다. 통행금지가 있던 시절이라 에피소드도 많던 시절입니다.

당시에는 철야예배를 4시까지 했는데 기도하고 찬양하고 간증하면서 은혜를 나누었습니다. 그때는 새벽 4시가 금방 갔다고 느낄 정도로 기도의 열기가 뜨거웠습니다. 당시를 되돌아보면 철야예배 때 와서 부르짖어 기도하면서 수많은 사람들이 치유 받고 기도응답을 받고 성령충만 받은 것이 기억납니다. 한 번은 철야기도 때 이런 일이 있었습니다. 그때 저는 병자를 위해 기도한 후 이렇게 선포했습니다.

"오늘 하나님의 능력으로 위궤양이 고침 받은 사람이 있습니다."

그러자 어떤 청년이 벌떡 일어나더니 말했습니다.

"목사님, 접니다. 제가 위궤양에서 나았습니다! 믿습니다! 아이고 그런데 안 믿어지네~"

그 청년의 말이 지금도 굉장히 인상적입니다. "주여 믿습니다!"라고 그렇게 당당하게 고함을 치더니 바로 "아이고~ 안 믿어지네~"라고 말한 것은 어떤 의미에서 매우 솔직한 고백입니다. 우리도 "믿습니다" 하면서도 안 믿어질 때가 많습니다. 믿음은 내가 만드는 것이 아니며 믿음은 느낌이 아니기 때문입니다. 믿음은 느낌과 환경을 초월하는 것입니다.

그 청년은 당시 연세대학교 다니는 학생이었습니다. 그런데 위궤양으로 피를 쏟기도 하고 죽음이라는 단어를 떠올리고 있었습니다. 그 청년은 피를 많이 쏟다보니 스스로 생각하기에 '이제 곧 죽겠구나' 라고 생각하고 있었습니다. 그래서 하나님의 능력으로 낳을 수 있다고 믿으려고 발버둥을 쳤는데 안 믿어진다는 것입니다. 저는 제게 있는 믿음이 그 청년에게도 주시도록 간절히 기도했습니다. 안수기도하며 강력하게 기도했습니다. 먼저 그 청년의 4차원을 바꾸어 놓아야 했습니다. 치료된다는 생각과 강력한 믿음으로 그리고 미래를 향한 꿈과 말씀의 긍정적인 고백이 필요했던 것입니다.

그 후 그 청년은 건강하게 되었고 큰 믿음의 사람이 되었습니다. 그리고 신학을 공부해 목사가 되었고 지금은 장로교 목사가 되어서 훌륭한 목회를 하고 있습니다.

사실 우리가 믿음을 지키고 인내하려해도 세상이 인정하는 상식과 지식은 우리를 큰 절망으로 데려갑니다. 하나님의 말씀만 의지하며 믿음을 굳건히 하고 앞으로 나타날 기적을 기다리려 해도 이 환경의 압박은 계속 우리를 짓누릅니다. 그러나 우리는 이겨내야 합니다. 하나님께서 능히 이겨낼 힘을 우리에게 주셨기 때문입니다. 여러분 모두도 이겨낼 수 있습니다.

뜨겁게 부르짖는 기도로 불신앙의 얼음벽을 녹여라

성경은 기도하고 구한 것은 받은 줄로 믿으라고 했는데 아무리 기도해도 안 믿어질 때가 있습니다. 이것이 문제입니다. 우리가 기도하고 구할 때에는 받은 줄로 믿어질 때까지 기도해야 합니다. 기도하고 구할 때 받은 줄로 믿는 마음과 응답의 사이에는 두꺼운 얼음벽이 있습니다. 이 얼음벽을 녹여야 합니다. 차디찬 바람으로는 녹일 수 없습니다. 뜨거운 기도의 열기가 있어야 합니다. 우리가 주님께 뜨거운 기도의 열기로 기도하면 이 얼음벽은 녹아내리기 시작합니다. 대다수의 사람들이 기도하다가 낙심하고 그만 주저앉아 버리고 평안과 확신을 얻지 못하는 것은 이 얼음벽을 녹이지 못해서입니다. 얼음벽이 녹을 때 응답의 손을 잡을 수 있습니다. 그때 마음에 확신과 평안이 옵니다.

마태복음 7장 7절에서 8절에 "구하라 그러면 너희에게 주실 것이요 찾으라 그러면 찾을 것이요 문을 두드리라 그러면 너희에게 열릴 것이니 구하는 이마다 얻을 것이요 찾는 이가 찾을 것이요 두드리는 이에게 열릴 것이니라."고 말씀하셨습니다.

예수님은 우리가 생각하는 것보다 더 크고 범위가 넓은 응답을 약속하셨습니다. 그러므로 우리는 확신이 올 때까지 계속해서 구하고 기도해서 얼음벽을 녹여 마음에 확신이 들면 받은 줄로 믿고 입으로 시인해야 하는 것입니다.

이사야 55장 6절에서 7절은 "너희는 여호와를 만날 만한 때에 찾으라 가까이 계실 때에 그를 부르라 악인은 그 길을, 불의한 자는 그 생각을 버리고 여호와께로 돌아오라 그리하면 그가 긍휼히 여기시리라 우리 하나님께로 나아오라 그가 널리 용서하시리라"고 말씀하고 있습니다. 영국의 유명한 목사였던 스펄전 목사님은 "기도는 아래서 줄을 당겨 하늘 위에 있는 큰 종을 하나님 귀 밑에서 울리는 것과 같다"고 말씀하셨습니다. 하나님 귀 밑에 종을 두고 이 밑에서 기도의 줄을 잡아당기면 하나님께서 즉시 듣고 행해주신다는 것입니다. 우리는 하나님께 기도하되 힘을 다하여 기도하고, 쉬지 말고 해야 합니다. 우리의 부르짖는 기도에 하나님께서는 반드시 응답으로 역사하십니다.

믿음의 기도는 절대절망을 절대희망으로 바꾸는 믿음의 매개체입니다. 어떤 사람들은 큰 소리로 기도하는 것을 비판하는 사람들도 있습니다. 그러나 예레미야 33장 3절은 "너는 내게 부르짖으라 내가 네게 응답하겠고 네가 알지 못하는 크고 비밀한 일을 네게 보이리라."고 말씀하고 있습니다. 간구하는 기도는 부르짖는 기도입니다.

시편 145편 19절에서도 "저는 자기를 경외하는 자의 소원을 이루시며 또 저희 부르짖음을 들으사 구원하시리로다."라고 말씀하셨습니다. 그러므로 마음에 확신과 평안이 올 때 까지 주님께 부르짖는 기도를 드려야합니다. 뜨거운 소원을 갖고 부르짖어 기도할 때 하나님께서 응답해 주시는 것입니다.

3. 3차원 인생의 짐을 주께 맡기라

불안한 시대, 절망할 수밖에 없는 시대이지만 염려를 내려놓으십시오! 당신의 부정적 생각과 두려움의 짐을 하나님께 맡기십시오. 오직 주님만 바라보십시오.

송강 정 철의 '훈민가' 중에 이런 시가 있습니다.

"이고 진 저 늙은이 짐 풀어 나를 주오. 나는 젊었거니 돌이라 무거울까 늙기도 설워라커든 짐을조차 지실까"

이 시의 젊은이는 한 노인이 무거운 짐을 이고 지며 땀을 흘리고 걸어가는 것을 보고 측은히 여겨 그 짐을 대신 짊어져 주어 노인으로 쉽고 평안하게 가시게 하겠다는 그런 내용입니다.

바로 예수님이 하신 말씀도 그와 똑같은 말씀입니다. 예수님은 사람들이 무거운 짐을 지고 고생하는 것을 보시고 안타깝게 여기셨습니다. "수

고하고 무거운 짐 진 자들아, 다 내게로 오라" 하시며 우리에게 쉽고 가볍게 인생을 살아갈 수 있도록 초청하신 것입니다. "죄 짐이 무거우냐? 세상의 짐이 무거우냐? 마귀의 멍에가 무거우냐? 병의 짐이 무거우냐? 먹고 사는 삶이 그렇게 수고롭고 무거우냐? 인생살이가 고생스러우냐? 죽는 고통이 괴로우냐? 그 짐을 네가 지지 말아라. 내가 짊어져 주마. 내 십자가의 멍에로 내가 그 모든 짐을 졌으니 너는 그냥 나를 믿고 순종하고 내 밑에 들어오너라. 그러면 너는 평안하게 인생을 살아갈 수 있다"라고 말씀하신 것입니다. 이 얼마나 놀라운 초청입니까?

주는 나의 목자

저는 이 말씀을 늘 외웁니다. 두려움이 다가오면 그 두려움에 상대해서 "두려움아 물러가라. 하나님이 나의 피난처요, 요새요, 의뢰하는 하나님이시니 밤에 놀램과 낮에 흐르는 살과 흑암 중에 행하는 염병과 백주에 황폐케 하는 파멸이 내게 어떻게 하리요. 천인이 내 곁에서 만인이 내 곁에서 넘어지나 이 재앙이 내게 가까이 오지 못하노라"고 말입니다. 하나님의 말씀은 살았고 운동력이 있습니다. 저 하늘이 무너지고 이 땅이 꺼져도 일점일획도 변하지 않습니다. 말씀을 알고 믿고 바라보고 시인하면 그 말씀의 역사가 우리의 삶 속에 오늘날도 이루어지게 되는 것입니다.

오늘날 우리 사회는 불안의 골짜기를 지나고 있습니다. 왜냐하면 전쟁의 공포가 많은 사람들의 마음을 억누르고 있기 때문입니다. 특히, 북한의 핵 문제와 이라크 전쟁은 이러한 불안감을 가중시키고 있습니다. 이라크 전쟁의 그 무시무시한 참상을 바라보고 다음은 한반도에 이런 전쟁이 일어나지나 않을까 하는 불안감이 우리를 지배하고 있습니다. 우리는 모두 불안의 골짜기를 지나면서도 태연한 척 하지만 사실은 마음속에 이 불안의 공포를 떨쳐버리시 못하고 있습니다.

또 정치 상황 변동에 따른 세대간의 이념 갈등이 증대되고 있습니다. 젊은 세대들은 기성 세대들을 향하여 수구주의자라고 단정짓습니다. 반면에 기성 세대들은 젊은 세대들을 향하여 극단적인 개혁주의자라고 몰아세웁니다. 한국은 다시금 혼란과 갈등 속으로 빠져들고 있는 것입니다.

그리고 사회전반적으로 경기불황이 다가와서 모든 일이 어렵습니다. 지금도 수출은 잘된다고 하나 내수경기는 어렵습니다. 신용불량자는 갈수록 증가되고 물가와 실업률이 상승하고 있으며 직장인들은 불안에 떨고 있습니다. 중국에서부터 유출되어 동남아와 유럽을 휩쓸고 있는 괴질도 두려운 존재입니다. 오늘날 의학적으로도 병원균을 발경하지 못하는 무서운 괴질이 유행하고 있습니다.

그래서 오늘의 이런 불안감을 각종 수련회를 통하여 해소하려는 모임이 많이 생겨났습니다. 마음에 관련한 서적이 1년 내 1백종이 넘게 발간이 되고 점집이 호황을 하고 심리치료하는 신경정신과가 성황하며 많은 사람이 그런 곳으로 정신적 치료를 받으러 가고 있습니다. 우리가 지나온 20세기 역사는 전쟁의 역사였습니다. 전쟁에서 직접 죽은 사람 수와 관련된 학살자수를 합치면 1억 2천만에서 1억 8천만의 사람들이 지난 20세기 동안에 전쟁으로 죽었습니다. 1945년부터 90년까지 전쟁이 없었던 날은 겨우 3주간 뿐이었습니다.

오늘날 이런 여러 가지 연고로 우리 사회는 불안과 공포의 사망의 음침한 골짜기를 지나고 있고 온 세계가 그 골짜기를 지나고 있는 것입니다. 여러분 이 골짜기를 지날 때 아무리 점집을 찾아가도 소용이 없고 신경과 치료를 받아도 소용이 없습니다. 이 사망의 음침한 골짜기에서 우리를 건질 자는 우리의 목자, 예수 그리스도 밖에 없는 것입니다. 하늘과 땅의 모든 권세를 가졌다고 하신 그 예수께서 선한 목자가 되셔서 사망의 음침한 골짜기를 지날 때 우리를 친히 손잡고 함께하여 주시는 것입니다. 이 마지막 때에 우리는 더욱 깨어나 기도하고 우리 목자이신 예수 그리스도의 손을 잡고 이 사망의 골짜기를 헤쳐가야 합니다. 왜냐하면 우리 주님만이 그 지팡이와 막대기로 우리를 인도하여 안전하게 해주시기 때문입니다. 주님의 지팡이는 주님의 인도하시는 손길인 것입니다. 요한복음 10장 3절에 "문지기는 그를 위하여 문을 열고 양은 그의 음성을 듣나니 그가 자기 양의 이름을 각각 불러 인도하여 내느니라."고 기록되어 있습니다. 주님은 우리들의 목자요, 우리들은 그의 양입니다. 그러므로 목자되신 주님은 우리들의 이름을 다 아십니다. 우리들의 이름을 하나하나 부르면서 그 지팡이로 우리를 인도하여 주시는 것입니다.

4. 항상 믿음으로 사는 법을 학습하라!

일상 속에서 믿음으로 사는 법, 하나님과 동행하는 법을 학습하십시오. 성령님을 만나고, 말씀을 묵상하고, 하나님을 묵상하면서 믿음의 사람들을 가까이 하십시오.

우리는 아무리 강하다고 버텨보아도 어쩔 수 없이 연약한 존재입니다. 인간은 유한한 존재이기 때문입니다. 그래서 늘 새롭게 마음을 먹고 다시 일어서지만 또 다시 쓰러집니다. 이런 우리를 하나님은 긍휼히 여기시고 돌보시기 원하십니다. 이 얼마나 감사한 일입니까? 우리가 이 세상을 이기는 삶을 살 수 있도록 말씀을 주셨고, 우리를 도우시는 보혜사 성령님을 보내주셨습니다. 그 뿐이 아닙니다. 영적 동반자들을 우리에게 붙여주십니다. 그러므로 우리는 늘 말씀을 묵상하고 성령님과 교제하며, 믿음의 사람들과 함께 하나님 앞으로 나아가야 합니다.

말씀을 통한 믿음 성장

19세기 미국을 복음으로 변화시킨 무디 선생님은 거듭난 후, 하나님 앞에서 온전히 살기로 서약했지만 늘 넘어지고 비틀거리는 삶을 살았습니다. 무디 선생님은 이래서는 안되겠다고 생각하고 산으로 들어가 기도하고 부흥회도 쫓아다녔습니다. 그러나 그곳에서 받은 은혜가 한 달을 못 갔습니다. 그래서 무디 선생님은 "나는 길가에 뿌려진 씨앗처럼 말씀의 씨가 자라지 못하는 마음 밭인가보다."라고 탄식했습니다.

그러던 어느 날 문득 펴본 말씀이 로마서 10장 16절에서 17절이었습니다.

"그러나 저희가 다 복음을 순종치 아니하였도다 이사야가 가로되 주여 우리의 전하는 바를 누가 믿었나이까 하였으니 그러므로 믿음은 들음에서 나며 들음은 그리스도의 말씀으로 말미암았느니라 그러나 내가 말하노니 저희가 듣지 아니하였느뇨 그렇지 아니하다."

이 말씀을 읽을 때, 무디 선생님의 마음에 믿음과 깨달음이 왔습니다. 그것은 말씀이 믿음을 붙잡아 주는 것이며, 믿음이 흔들릴 때 예수님의 말씀을 들음으로써 믿음을 강하게 만들 수 있다는 깨달음이었습니다. 말씀을 통해 믿음 성장의 방법을 찾은 무디 선생님은 그날부터 매일 새벽마다 성경을 묵상하게 되었고 하나님께 믿음을 달라고 기도했습니다. 그리고 믿음을 크게 만들기 위해 하나님의 말씀을 입으로 시인하고 선포했으며 말씀대로 행동하며 살려고 노력했습니다.

그 후 무디 선생님은 세계를 복음으로 흔드는 신앙의 거장이 될 수 있었습니다. 무디 선생님은 "성경은 내게 필요할 때 침상이 되었고 어두울 때 등불이 되었으며 일할 때 연장이 되었고 찬미할 때 악기가 되었고 무지할 때 스승이 되었으며 헛발을 디뎌 빠질 때에 반석이 되었다."고 말했습니다.

성령님을 통한 믿음 도약

18세기 영국을 변화시키고, 감리교의 창시자이기도 한 요한 웨슬리 목사님은 옥스포드 대학생 시절, 뜨거운 열정을 가지고 하나님께 삶을 드렸었습니다. 그리고 선교사가 되어 미국으로 갔습니다. 그러나 그는 미국에서 선교사의 꿈을 온전히 펼치지 못하고 실패하였습니다. 믿음에 위기가 온 것입니다. 낙심한 채 다시 영국으로 돌아왔습니다. 영국으로 돌아오는 중에 배가 풍랑을 만나 위험스런 지경이 되었습니다. 웨슬리를 비롯한 많은 사람들이 우왕좌왕 했지만 하나님을 경건하게 섬기던 모라비안 교도들은 오히려 하나님을 찬양하며 믿음으로 환경을 이겨냈습니다. 이 모습을 본 웨슬리 목사님은 큰 충격을 받습니다.

그리고 1738년 5월 24일, 웨슬리 목사님은 런던의 올더스게이트에서 성령님의 뜨거운 체험을 합니다. 그때의 경험을 웨슬리 목사님은 이렇게 말했습니다.

"그날 저녁, 나는 마지못해 친구의 강요에 의해서 올더스게이트의 거리 집회에 나갔었습니다. 어떤 사람이 루터의 로마서 주석 서문을 읽어 내려가고 있었습니다. 9시 15분 쯤 그가 예수 그리스도 안에 있는 믿음을 통하여 하나님께서 우리 마음에 일으키시는 변화를 설명하는데 내 마음속에 이상한 뜨거운 불이 임하면서 설레기 시작했습니다. 나는 예수 그리스도를 믿음으로 말미암아 값없이 용서를 받고 의롭다함을 얻어 구원받는다는 진리를 마음속으로 확연하게 깨닫게 된 것입니다."

웨슬리 목사님은 이전에는 로마서를 읽을 때 머리로만 읽었기 때문에 마음속에 부딪혀 오지 않았는데, 그날 저녁은 마음이 이상하게 뜨거워지고 설레는 불길이 임하더니 믿음으로 용서와 의를 얻는다는 진리가 확연히 깨달아진 것입니다. 그러자 영혼에 밝은 빛이 비치고 환희가 넘쳐났습니다. 그 길로 그는 일어나 영국을 변화시키는 복음 전도를 시작했습니다. 훗날 사람들이 웨슬리에게 "당신은 무슨 힘으로 이렇게 위대한 전도를 할 수 있었습니까?"라고 물었을 때 그는 "나는 올더스게이트의 체험 이후 알게 된 성령의 불길을 언제나 마음에 품었기 때문에 그처럼 복음을 전할 수 있었습니다"라고 대답했습니다. 다만 진리를 아는 것으로는 우리가 변화되지 않습니다. 하나님의 진리가 성령님으로 말미암아 마음속에 깨달아지고 그러한 체험이 있어야 어떠한 시련과 환난도 이길 수 있는 믿음과 용기와 힘이 생겨나는 것입니다. 웨슬리 목사님은 성령님과 함께 교제하며 믿음의 키를 높였습니다. 우리도 웨슬리 목사님처럼 마음을 늘 성령님의 뜨거운 불길로 채웁시다.

웨슬리 목사님에게 임하셨던 성령님은 지금 이 순간 우리에게도 오시기 원하십니다. 그래서 우리가 진리를 깨닫고 기억할 수 있도록 도와주십니다. 4차원의 믿음은 성령님에 의해서 성장합니다. 믿음은 내가 만들어 내는 창조물이 아니라 하나님에 의해서 주어지는 은혜이며 성령님이 만들어 주시는 작품입니다.

로마서 8장 26절에서 27절을 보면, "이와 같이 성령도 우리 연약함을 도우시나니 우리가 마땅히 빌바를 알지 못하나 오직 성령이 말할 수 없는 탄식으로 우리를 위하여 친히 간구하시느니라 마음을 감찰하시는 이가 성령의 생각을 아시나니 이는 성령이 하나님의 뜻대로 성도를 위하여 간구하심이니라."라고 말씀하십니다. 성령님은 인생의 절망의 순간 순간마다 우리를 위해 끊임없이 기도해 주시고 우리를 안내하시며 가르쳐 주십니다. 그러므로 우리는 성령의 도우심을 통해 하나님 아버지와 예수 그리스도의 말씀을 깨닫고 그 뜻을 알 수 있는 것입니다.

영적동반자와 연합된 믿음

믿음의 사람들은 함께 연합할 때 그 믿음을 더욱 더 견고하게 할 수 있습니다. 성경에도 "너희 두, 세 사람이 모인 곳에 나도 함께 하리라."라고 말씀하셨습니다. 또 의인 한 사람으로 인해 하나님은 그가 있는 곳을 축복하십니다. 우리는 믿음의 사람들과 교제를 나누며 하늘나라를 확장하고, 세상과의 싸움을 더 쉽게 이길 수 있는 힘을 얻을 수 있습니다. 또 우리 자신이 믿음의 힘이 되어 많은 영혼들에게 도움을 줄 수도 있습니다.

1969년, 미국 대통령을 지낸 아이젠하워가 월트리드 미 육군 병원에서 별세하기 얼마 전에 빌리 그래함 목사님이 심방을 오셔서 30분 동안 대화를 하셨습니다. 이후 목사님이 떠나시려 하자 아이젠하워 대통령이 목사님을 붙잡았습니다.

"목사님, 저와 조금만 더 이야기하고 가십시오. 함께 있어 주세요."

"그러죠. 그런데 무슨 할 말이 더 있으십니까?"

"목사님, 난 아직 하나님을 만날 확신이 없어요. 날 좀 도와주시겠어요?"

"우리가 죄사함 받고 구원을 얻어 하나님의 자녀가 되는 길은 오직 예수 그리스도께서 우리를 위해 고난 받으시고 십자가에 달려 죽으시고 부활하셨다는 것을 믿기만 하면 됩니다. 우리의 공로가 아닙니다."

그리고는 아이젠하워 대통령의 손을 잡고 기도하셨습니다. 그 때 대통령은 눈물을 흘리면서 빌리 그래함 목사님에게 감사의 말을 했습니다.

"목사님, 감사합니다. 이제야 비로소 하나님을 만날 준비가 되었습니다. 마음에 참 평안이 옵니다."

그리고 대통령은 그런 기쁜 마음 가운데 세상을 떠났습니다. 빌리 그래함 목사님의 확신에 찬 기도가 아이젠하워 대통령의 믿음에 참 평안을 가져왔던 것입니다. 이처럼 자신이 믿음이 부족하다고 느낄 때는 믿음의 동역자를 찾으십시오. 그들의 기도로 도움을 얻는 것도 지혜입니다. 연합된 믿음의 기도는 확신과 평안을 가져다주기 때문입니다.

믿음학습은 평생학습이다

이 땅을 살아가는 우리는 저 하늘 천국을 바라보며 소망을 가지고 항상 믿음을 굳건히 세워나가야 합니다. 현실이 어둡고 캄캄하다 할지라도 환경을 바라보지 않고 언제나 하나님만 바라보고 하나님께 의지하는 믿음으로 긍정적이고 적극적인 신앙을 가지고 나가야 합니다. 그럴 때 하나님께서 종국적으로 모든 것이 합력하여 선을 이루게 해주시는 것입니다. 이를 위해서는 항상 믿음으로 사는 영적습관이 생겨야 합니다. 말씀을 통해 믿음 성장의 방법을 찾고, 성령님과 함께 교제하며 믿음의 키를 높여야 합니다. 그리고 믿음의 사람들과 함께 연합하여 그 믿음을 더욱 더 견고하게 해야 합니다.

이와 같이 믿음으로 사는 법을 배우게 되면 놀라운 하나님의 기적을 체험하게 됩니다. 믿음으로 사는 법은 한 순간에 이루어지는 능력이 아닙니다. 평생토록 학습하고 배워가야 합니다. 그래서 습관이 되어야 합니다. 성경에 나와 있는 많은 믿음의 사람들은 평생 동안 믿음으로 사는 법을 배우고 노력한 사람들입니다. 4차원의 믿음은 이런 과정을 통해 성장하고 자라게 됩니다.

4차원의 **믿음**

이렇게 바꾸라

1. 바라봄의 믿음법칙을 사용하라

목표를 바라보되, 있는 것처럼 바라보십시오. 실체를 바라보십시오.
마음속에 소원을 품은 후, 이미 이루어진 현실로 믿고 기도하십시오.

2. 부정적으로 유혹하는 환경과 싸우라

믿음을 포기하도록 하는 수많은 유혹들이 있습니다. 싸워 이기십시오.
평안이 올 때까지 기도하십시오. 뜨겁게 부르짖어 기도하십시오.

3. 3차원 인생의 짐을 주께 맡기라

불안한 시대, 절망할 수밖에 없는 시대이지만 염려를 내려놓으십시오!
당신의 부정적 생각과 두려움의 짐을 하나님께 맡기십시오. 오직 주님만 바라보십시오.

4. 항상 믿음으로 사는 법을 학습하라!

일상 속에서 믿음으로 사는 법, 하나님과 동행하는 법을 학습하십시오.
말씀을 묵상하고, 하나님을 묵상하십시오. 믿음의 사람들을 가까이 하십시오.

:: 이 표를 사용하시기 전에 ::

- 이 표는 4차원 영성의 4가지 변화(생각, 믿음, 꿈, 말)의 실행력을 높여주는 강력한 도구입니다.
- 한 주에 한 가지씩의 지침을 실천하십시오. 매일 저녁에 하루를 돌아보며, 실행여부에 따라 ○ △ × 로 체크해 보십시오.
- 1개월 혹은 4개월 뒤에 놀라운 변화를 눈으로 확인할 수 있습니다.
  - ○ : 변화를 위해서 오늘 하루 동안 1회 이상 실천했다.
  - △ : 시도는 했지만, 생각 만큼 잘되지 않았다.
  - × : 실천을 잘 하지 못했다.

4차원의 믿음 실행점검표

오늘 당신의 4차원 영적세계는 어떠하셨습니까?

4차원의 믿음을 바꾸면, 3차원의 인생이 바뀐다!

믿음을 바꾸라 !

1. 하루동안 성경읽기와 기도하는 시간을 가졌다.
   - 하루에 적어도 성경읽기(　　)장, 기도시간 (　　)분 이상을 할 수 있도록 꾸준히 노력하십시오.
2. 기도응답 확신이 없는 기도제목에 대해 집중적으로 기도하였다.
   - 기도제목을 나열하고서 특별히 확신이 없는 부분을 골라서 집중적으로 기도하십시오.
3. 오늘 나의 근심, 걱정 등을 하나님께 맡기며 보냈다.
   - 나의 근심, 걱정 - (　　), (　　) 을 하지 않기로 다짐하십시오.
4. 최소 1명 이상 믿음의 사람과 교제의 시간을 가졌다.
   - 오늘 하루동안 ○○○ 와 만나거나 전화, 이메일 등으로 믿음의 대화를 나누십시오.

믿음

"할 수 있거든이 무슨 말이냐 믿는 자에게는 능치 못할 일이 없느니라" (마가복음 9:23)

주	실행지침	일	월	화	수	목	금	토
1주	하루동안 성경읽기와 기도하는 시간을 가졌다							
2주	기도응답 확신이 없는 기도제목에 대해 집중적으로 기도하였다							
3주	오늘 나의 근심, 걱정 등을 하나님께 맡기며 보냈다							
4주	최소 1명 이상 믿음의 사람과 교제의 시간을 가졌다							

당신의 4차원의 꿈, 이렇게 바꾸라

③ 꿈

❶ 하나님의 크고 비밀한 일을 기대하고 꿈꾸라

❷ 꿈의 성취 과정에서 작은 일부터 실천하라

❸ 당신이 꿈꾸는 것을 구체적으로 그려라

❹ 항상 '희망의 꿈'을 간직하고 확산시켜라!

당신안의 4차원 영적세계를 바꾸라

3장 꿈
당신의 4차원의 꿈, 이렇게 바꾸라

"묵시가 없으면 백성이 방자히 행하거니와 율법을 지키는 자는 복이 있느니라"(잠언 29:18)

우리는 항상 마음속에 꿈을 품고 살아야 합니다. 묵시가 없는 백성은 망합니다. 오늘 마음속에 꿈, 즉 비전을 품고 있지 않으면 내일이 없습니다. 달걀은 품어주지 않는다면 절대로 병아리가 되지 못합니다. 그러므로 우리는 마음속에 언제나 꿈과 비전을 가지고 품어가며 살아가야 합니다. 그래야 그 꿈과 비전이 껍질을 깨고 부화되어 우리에게 현실로 나타납니다.

당신은 지금 어떤 꿈을 꾸고 계십니까? 혹시 그 꿈이 인간적인 욕심으로 만들어진 것은 아닙니까? 우리는 이것을 구별해야 합니다. 4차원 세계에서 잉태된 잘못된 욕심은 그대로 3차원 인생의 결과로 나타나기 때문입니다. 바른 꿈과 욕심은 큰 차이가 있습니다. 꿈에는 내일에 대한 희망이 있습니다. 범법이나 죄를 이용하지도 않습니다. 그러나 욕심은 법을 어기고 죄를 범해야 이룰 수가 있습니다.

모세가 젊었을 때에 민족구원에 실패한 이유가 있습니다. 그는 젊은 혈기로, 자신의 생각대로 꿈꾸었기 때문입니다. 아무리 좋은 꿈과 이상이라도 하나님이 함께 하지 않으신 꿈은 인간적인 야망과 욕심에 그치기 때문입니다. 반대로 아브라함과 요셉은 환난 가운데서도 승리했습니다. 왜냐하면 그들은 하나님과 함께 꿈꾸었기 때문입니다.

하나님과 함께 할 때, 하나님이 주시는 꿈이 있습니다. 하나님은 성경과 성령을 통해, 설교와 기도 시간 가운데 꿈을 주십니다. 하나님의 꿈은 인간의 꿈과는 비교할 수 없을 정도로 크고 광대하십니다. 모세는 민족 해방만을 꿈꾸었지만 하나님은 이스라엘을 제사장 국가로 만드는 꿈을 꾸고 계셨습니다. 하나님은 모세에게 말씀하시기를 "너희가 내게 대하여 제사장 나라가 되며 거룩한 백성이 되리라 너는 이 말을 이스라엘 자손에게 고할지니라."(출 19:6)고 했습니다. 이렇게 하나님의 꿈은 더 크고 넓습니다. 그래서 우리는 무한하신 하나님의 꿈을 꾸어야 합니다. 그리고 요셉처럼 하나님이 주시는 꿈을 평생토록 부여잡아야 합니다. 그럴 때 하나님의 꿈은 우리로 하여금 어떤 환경과 고난도 뛰어넘게 합니다.

하나님을 통해 품게 된 꿈은 4차원 안에 있습니다. 그래서 이 꿈은 3

차원을 점령하여 현실로 이루어지는 것입니다. 이제 당신의 4차원 영적 세계 안에 있는 꿈이 어떠한지 점검해 보시기 바랍니다. 그리고 당신의 꿈을 다음과 같이 바꾸어 보십시오.

1. 하나님의 크고 비밀한 일을 소망하라

항상 하나님께서 당신에게 베푸실 크고 놀라운 일을 기다리고 꿈꾸십시오. 앞길이 절벽이 될 것을 꿈꾸어서는 안됩니다. 언제나 하나님이 주시는 꿈을 기대하십시오.

사람의 힘으로는 전혀 해결할 수 없는, 마치 낭떠러지와도 같은 순간들이 있습니다. 그러나 성경은 "하나님은 능치 못하는 일이 없느니라"고 말씀하십니다. 그렇습니다. 우리가 절망이라고 생각할 때에 하나님은 소망이 있다고 말씀하는 것입니다. 하나님께서는 우리가 알지 못하는 크고 비밀한 일을 행하십니다. 이런 하나님이 우리와 늘 함께 하시기에 우리는 그 하나님을 그저 무조건 믿고 따르기만 하면 되는 것입니다. 그리고 그런 마음을 품는 사람에게 하나님의 놀라운 기적을 베푸십니다. 그래서 우리는 위대한 하나님의 기적을 기대하고 꿈꾸며 살아갈 수 있습니다.

1965년 저는 브라질 성회를 마치고 리우데자네이루 공항에서 비행기를 기다리고 있었습니다. 어느 경찰관이 와서 여권을 좀 보자고 했습니다. 저는 아무 거리낌 없이 공항 관례상 그러려니 하고 보여 주었습니다. 그런데 이게 웬 날벼락입니까? 그 경찰관은 여권을 가지고 도망가 버렸습니다. 저는 갑자기 앞이 캄캄해져 왔습니다. 그 당시 브라질에 제가 아는 사람은 그 누구도 없었고, 한국인은 고사하고 동양인조차 찾기 힘든 때였습니다. 시간은 계속 그렇게 흘러갔고 결국 저는 비행기를 타지 못했습니다. 여비도 딱 맞춰 가져온지라 남은 돈도 하나도 없었습니다. 저는 다리에 힘이 풀리면서 결국 주저앉았습니다. 그리고는 울면서 기도하기 시작했습니다.

"하나님, 보시옵소서! 저는 이제 어찌해야 합니까? 하나님을 사랑하는 자 그 뜻대로 부르심을 입은 자들에게는 모든 것이 합력하여 선을 이룬다고 하시지 않으셨습니까? 정말로 저는 하나님을 사랑하고, 하나님 뜻대로 브라질 리우데자네이루에 와서 주의 말씀을 전했습니다. 오직 주님만이 저를 아십니다. 주님, 합력하여 선을 이루신다는 주님의 약속을 믿습니다. 주님 저와 함께 하여 주옵소서!"

저는 기도밖에 할 수 없었습니다. 그래서 계속 그렇게 기도를 하는데, 한 신사분이 다가왔습니다.

"혹시 조용기 목사 아니십니까?" 하는 것이었습니다. 저는 잘못 들었나 싶어 주위를 다시 한 번 둘러보았습니다. 틀림없이 저를 부르는 소리였습니다. 그래서 저는 물어봤습니다.

"네, 맞습니다. 제가 조용기 목사입니다. 그런데 저를 아십니까?"

"10년 전에 '루이스 P. 리차드'라는 친구가 한국 선교사로 나갔었습니다. 그때 그 친구가 당신 사진이 붙어 있는 간증기사를 보내 준 적이 있습니다. 그 간증문을 참 감동 깊이 읽었던 것이 기억납니다. 그런데 참 신기합니다. 여기서 이렇게 당신을 만나다니요. 10년 전에 얼핏 본 당신 얼굴이 이렇게 정확하게 기억날 줄은 몰랐습니다. 여기는 웬일이십니까? 저는 오늘 상파울로에서 오신 손님을 환송하러 나왔다가 돌아가는 길인데, 갑자기 기억난 그 10년 전의 사진과 똑같은 사람이 앉아있기에 혹시나 하고 물어본 것입니다."

저는 그만 왈칵 눈물이 났습니다. 주님의 은혜가 얼마나 큰지... 너무나 감사해서 어찌할 바를 몰랐습니다. 주님께서 저의 기도를 응답해 주신 것입니다. 저는 그 신사분에게 자초지종을 말했습니다. 그가 말하길 브라질에서는 흔히 있는 일이라고 합니다. 특히 제3세계 외국인들에게 심하다고 합니다.

"목사님이 잘 모르셨군요. 아마도 돈을 달라고 하지 않던가요? 얼마 주어서 돌려보냈으면 여권은 안 뺏기셨을텐데, 아무튼 천만다행입니다."

저는 그분의 도움으로 무사히 귀국할 수 있었습니다. 저는 지금도 감사드립니다. 만약 그때 저의 기도를 주님이 들어 주시지 않았다면 어땠을지… 하나님은 이렇게 좋으신 분입니다. 크고 깊은 수렁에서 우리를 건져 주시는 분이십니다. 저는 이 일을 계기로 하나님을 더욱 신뢰하게 되었고 그 사랑을 더 깊이 느끼게 되었습니다.

여러분도 모두 이 사랑을 체험할 수 있습니다. 제가 목사이고 특별해서가 아닙니다. 간절히 하나님만 바라보고 의지하는 가운데 있으면, 그리고 그 믿음을 잃지 않는다면 하나님께서는 꼭 크고 비밀한 일을 보여주십니다. 여러분도 믿음 가운데 그 놀라운 일을 느껴 보십시오.

이스라엘 백성을 향하신 하나님의 크고 비밀한 일

이스라엘 백성의 출애굽은 하나님의 계획이 얼마나 크고도 정확하신지 잘 나타내주는 예입니다. 하나님께서는 모세를 통해 그 백성들을 430년 종살이에서 해방시켜 주셨습니다. 그런데 출애굽의 첫 번째 장벽이 그들을 가로막습니다. 가나안을 향해 움직이는 그들을 망망한 홍해가 기다리고 있었던 것입니다. 뒤를 돌아보니 애굽 군사들이 전차를 끌고 이들을 잡으러 달려오는 것이 보였습니다. 이스라엘 백성들은 이러지도 저러지도 못한 상황에 놓이게 된 것입니다. 앞은 건널 수 없이 큰 바다요 뒤는 이들을 쫓는 애굽 군사가 버티고 있었으니 백성들은 어찌할 도리가 없었습니다. 백성들 사이에서는 원성의 소리가 일기 시작했습니다. 이스라엘 백성들은 땅을 치고 통곡하며 이젠 우리 모두가 죽었노라고 모세를 원망했습니다. 바로 그때, 하나님께서 모세에게 말씀하셨습니다.

“너희는 가만히 있으라. 오늘 여호와께서 너희를 위하여 싸우시는 것을 보리라. 손을 내밀어 홍해를 갈라지게 하라.”

하나님께서 그들을 저버리신 게 아니었습니다. 어느 누가 이것을 알았겠습니까? 이스라엘 백성들도 몰랐습니다. 애굽 사람은 물론 몰랐습니다. 사람의 지혜로는 상상할 수 없는 크고 비밀한 일을 하나님께서는 예비해 놓으신 것입니다. 모세가 홍해를 향해 지팡이를 내밀자 길이 열리며 홍해가 갈라졌습니다. 이스라엘 백성들은 회개하며 다시 하나님의 권능의 팔을 잡았습니다. 그리고 모두 무사히 홍해를 건넜습니다. 뒤를 이어 그들을 잡기위해 애굽의 전차군대도 갈라진 홍해 사이로 들어 왔습니다. 그런데 이게 웬일입니까? 물이 다시 흘러넘치면서 열렸던 바닷길이 없어지고 있었습니다. 애굽 군사들은 아비규환에 빠졌습니다. 홍해는 그 큰 물살로 애굽 군인들을 통째로 삼켜버렸습니다. 이것은 우연히 일어난 자연현상이 아닙니다. 이스라엘 백성을 향하신 하나님의 크고 비밀한 일을 눈앞에 직접 보여 주신 것입니다. 언제나 변함없으신 하나님께서는 지금 우리를 향해서도 그 권능의 팔을 들고 계십니다. 고린도전서 2장 9절에 이렇게 기록되어 있습니다. "기록된바 하나님이 자기를 사랑하신 자들을 위하여 예비하신 모든 것은 눈으로 보지 못하고 귀로도 듣지 못하고 사람의 마음으로도 생각지 못하였다 함과 같으니라." 우리에게 향하신 하나님의 놀라우신 사랑과 축복이 있음을 확신하며 소망을 가지고 꿈꾸십시오. 반드시 좋은 일이 일어납니다.

우리를 향하신 하나님의 크고 비밀한 일

하나님께서 천지를 창조하실 때 사람을 가장 나중에 지으셨습니다. 먼저 모든 환경과 조건을 만드시고 아담과 하와를 지으시어 그들에게 그것들을 다스리고 정복할 권세를 주셨습니다. 하나님은 사람에게 필요한 것들을 먼저 다 창조해 주시고 우리를 사랑하사 예비해 놓으신 세계를 누릴 수 있도록 허락하신 것입니다. 아담과 하와를 위해서 만물을 예비하신 하나님께서 지금은 저와 여러분을 예수 그리스도 안에서 거듭나게 하시려고 이미 우리의 일생을 다 예비해 놓고 계십니다.

만세 전부터 주님은 우리의 구원을 예비하셨습니다. 우리는 우연히 죄를 짓게 되었고 그러다 보니 그냥 저절로 구원의 역사가 일어난 것이 아닙니다. 예수 그리스도의 십자가는 우리의 죄를 속하시려 벌써부터 계획된 사건이었던 것입니다. 창세기 3장 15절에 "내가 너로 여자와 원수가 되게 하고 너의 후손도 여자의 후손과 원수가 되게 하리니 여자의 후손은 네 머리를 상하게 할 것이요 너는 그의 발꿈치를 상하게 할 것이니라 하시고." 이 말씀은 앞으로 일어날 많은 사건들을 시사합니다. 예수님의 십자가는 우연히 일어난 것이 아닌 철저하게 계획된 사건이라는 것을 알아야 합니다. 주님은 인간의 모습으로 이 세상에 오셨습니다. 동정녀 마리아를 통해서 태어나신 것입니다. 이는 말씀대로 친히 여자의 후손이 되어 마귀와 원수가 될 것임을 보여줍니다. 하나님께서는 이미 아담과 하와가 타락했을 그 당시에 구세주 예수 그리스도를 예비해 놓고 계셨던 것입니다.

예수님이 탄생하시기 600여 년 전, 선지자 이사야는 이미 그리스도가 십자가에 못 박여 고난당할 것을 예언했습니다. 이사야 53장 4절에서 5절을 보십시오.

"그는 실로 우리의 질고를 지고 우리의 슬픔을 당하였거늘 우리는 생각하기를 그는 징벌을 받아서 하나님께 맞으며 고난을 당한다 하였노라 그가 찔림은 우리의 허물을 인함이요 그가 상함은 우리의 죄악을 인함이라 그가 징계를 받음으로 우리가 평화를 누리고 그가 채찍에 맞음으로 우리가 나음을 입었도다."

이 말씀은 하나님께서 얼마나 오래 전부터 우리의 구원을 예비해 놓으셨는지 알 수 있게 합니다. 그러므로 우리가 예수님을 믿기만 하면 구원에 이를 수 있는 것은 이렇게 이미 주님이 그 길을 다 예비해 놓으셨기 때문인 것입니다.

여러분은 그리스도를 믿음으로써 값없이 용서와 의와 구원을 받는다는 비밀을 깨달은 사람들이 된 것입니다. 하나님의 사랑과 놀라운 능력은 이렇게 크십니다. 감각적인 지식으로는 도저히 하나님의 역사를 이해할 수 없습니다. 하나님은 그 지식을 초월하시는 분이시기 때문입니다. 그러므로 우리들은 하나님이 예비하신 것을 언제나 마음에 믿어야 합니다. 우리는 무슨 일을 당해도 당황하지 말고 하나님께서 이미 모든 것을 계획하고 계신다는 것을 믿어야 되는 것입니다. 우리는 대책이 없을지라도 하나님은 대책이 있으십니다. 예레미야 33장 2절에서 3절의 말씀을 항상 기억하십시오.

"일을 행하는 여호와, 그것을 지어 성취하는 여호와, 그 이름을 여호와라 하는 자가 이같이 이르노라 너는 내게 부르짖으라 내가 네게 응답하겠고 네가 알지 못하는 크고 비밀한 일을 네게 보이리라"

하나님의 이 약속의 말씀을 굳게 믿고 소망을 품으십시오. 우리는 하나님의 크고 비밀한 일 가운데 있는 축복받은 사람들입니다.

우리가 꿈꾸어야 할 것

우리는 항상 우리 마음속에 크고 비밀한 일이 나타날 것을 꿈꾸어야 합니다. 흑암이 다가올 것을 꿈꾸면 안됩니다. 크고 비밀한 일을 약속하신 하나님의 말씀을 믿고, 여러분과 나는 마음속에 언제나 희망으로 가득 찬 긍정적이고 낙관적인 꿈을 꾸어야 되는 것입니다. 그러면 하나님은 반드시 크고 비밀한 일을 나타내 주실 것입니다. 우리의 상상을 초월한 하나님의 역사가 일어날 것입니다. 하나님의 기적을 기대하며 입을 넓게 열고 있어야 되는 것입니다. 하나님은 우리 가운데서 역사하시는 능력대로 우리의 온갖 구하는 것이나 생각하는 것에 더 넘치도록 능히 하실 분이십니다.

미국의 어느 흑인 모자가 살았습니다. 이혼을 한 그 여인은 그날그날 일을 해서 어린 아들과 근근이 살아가고 있었습니다. 어린 아들은 엄마에게 칭얼거리며 보챘습니다.

"엄마, 고양이 한 마리만 사 주세요. 네? 고양이 사줘요."

그녀에게는 고양이를 살 돈이 없었습니다. 엄마는 마음이 아팠습니다.

"내 친구들은 강아지도 있고, 고양이도 있고 한데, 엄마는 왜 안 사줘요?"

여인이 아들을 달래며 이렇게 말했습니다.

"아들아, 우리 좋으신 하나님 아버지께 기도하자. 하나님께서 고양이를 꼭 선물로 주실 거야."

그래서 이 어머니와 아들은 함께 손을 잡고 기도하기 시작합니다.

"우리의 모든 형편을 아시는 주님, 우리에게 고양이 한 마리를 주시옵소서. 저희에게는 고양이를 살 돈이 없습니다. 하나님 아버지, 간절히 기도합니다. 저희들을 불쌍히 여겨 주옵소서! 예수 이름으로 기도합니다. 아멘."

아들이 엄마에게 물었습니다.

"정말 하나님이 고양이를 보내주세요?"

"그럼, 얘야. 하나님은 못할 것이 없는 분이시란다. 고양이는 문제도 아니지. 언제고 꼭 보내주실 테니 우리 주실 것을 기대하자. 그리고 계속 기도하자. 하나님께서 우리의 기도를 듣고 계셔. 우리 계속 기대하고 꿈꾸자꾸나."

그렇게 어머니와 아들은 계속 기도했습니다.

따뜻한 햇살이 비치는 어느 날이었습니다. 어머니는 정원에서 뜨개질을 하며 앉아 있었고, 아들은 그 옆에 앉아서 종이에 장난을 치며 시간을 보내고 있었습니다. 그런데 웬일입니까? 저 높은 하늘에서 새까만 것이 하나 떨어지는 것이었습니다. 보니까 고양이 한 마리가 턱 하니 떨어진 것이었습니다. 그들은 너무 놀랐습니다. 하늘에서 갑자기 고양이가 떨어지다니요. 믿을 수 없는 일이었습니다. 그들은 기뻐 뛰면서 감사했습니다. 하나님께서 그들의 기도를 들어 주신 것입니다. 이 얘기는 '하늘에서 떨어진 고양이'라는 헤드라인으로 삽시간에 신문과 TV를 통해 미국 전역으로 퍼졌습니다.

며칠 후 어떤 사람이 이들을 찾아왔습니다. 자기가 고양이의 주인이라며 내 놓으라는 것이었습니다. 이건 또 무슨 말입니까? 하늘에서 떨어진 고양이의 주인이라니요? 그 사람이 말하길 자기는 여기서 800m 거리에 살고 있는데, 어느 날 고양이가 나무 위로 올라가버리더니 안 내려오더라는 것입니다. 그래서 고양이를 끄집어 내리려 했는데도 하도 내려오질 않아서 결국엔 나무를 휘어 당기다가 놓쳐버렸다는 것입니다. 그래서 나무가 튕겨 고양이가 하늘로 솟아오르며 사라져 버렸다고 했습니다. 그러면서 자기 고양이가 그 나뭇가지에서 튕겨지면서 800m를 날아 이 흑인 모자의 집에 떨어졌다고 주장했습니다. 그래서 그 고양이는 자기의 것이니 돌려 달라는 얘기입니다. 하지만 이 모자도 하나님으로부터 받은 선물이므로 고양이는 자기들 것이라 절대 줄 수 없다고 말했습니다. 결국엔 이 고양이 문제로 소송이 붙었습니다. 법정에서 전문가들이 나와 조사를 시작했습니다. 그 튕겨졌다는 나뭇가지에 그 고양이와 똑같은 조건의 인조 고양이로 실험을 해보았습니다. 그런데 아무리 날라 가도 20~30m 이상은 날라 가지 않았습니다. 결국 고양이가 800m를 날라 갈 수 없다는 결론이 났습니다. 마침내 법정은 '이는 하나님이 주신 고양이다.' 라고 판결을 내렸습니다.

참으로 상식 밖의 일입니다. 하지만 하나님은 이런 일을 가능하게 하시는 분이십니다. 이처럼 상상할 수 없는 마음의 꿈을 꾸십시오. 적은 꿈으로부터 큰 꿈을 품고 있으면 꿈이 여러분을 이끌어 가는 것입니다. 하나님의 놀라운 기적을 기대하고 꿈꾸시기 바랍니다. 그러면 그 기적은 여러분의 것이 됩니다. 우리는 하나님께서 우리를 위해 이미 예비해 놓으신 것이 있다는 확신을 가져야 합니다. 그리고 하나님께서 반드시 크고 비밀한 일을 나타내시리라는 것을 꿈꾸어야 합니다. 하나님을 향한 기대감을 끝까지 잃지 마시고 계속 기도하십시오. 그 꿈은 당신의 것입니다.

2. 당신이 꿈꾸는 것을 구체적으로 그려라

분명한 대상을 먼저 마음 속에 그리십시오. 구체적으로 종이에 써보십시오. 보다 더 구체적인 목표를 얻을 때까지, 확신이 올 때 까지 기도하십시오. 그리고 이러한 목표를 말씀을 통해 점검하십시오.

당신의 꿈은 무엇입니까? 지금 당장 꿈의 목표를 기록하여 항상 눈앞에 두시기 바랍니다. 꿈이 이루어지는 모습을 바라보아야 하기 때문입니다. 성취된 모습을 늘 바라본다는 것은 굉장히 중요합니다. 그것은 실제로 우리에게 이루어질 모습이기 때문입니다. 그렇기 때문에 언제나 그 꿈이 실현되었음을 믿고 기다리십시오.

구체적인 목표를 그려라

저는 호주에서 목회자들을 대상으로 교회성장에 대한 세미나를 인도한 적이 있습니다. 그들의 반응은 교회성장은 미국이나 한국에서나 가능하지 호주에서는 불가능하다며 매우 부정적이었습니다. 호주 사람들은 운동과 여가를 즐기기 때문에 교회에 잘 나오지 않는다는 것입니다. 일주일 동안의 강의가 끝나는 날, 저는 한 가지 제안을 했습니다.

"여러분 종이 한 장과 연필을 준비하십시오. 여러분이 기도하는 중에 바라본 2년 후 교회의 모습과 목표를 종이에 기록해 보십시오. 그리고 내 교회는 2년 이내에 몇 명의 성도를 꿈꾸는지 구체적으로 적어 보십시오."

사람들은 저마다 그 꿈을 기록했습니다. '2년 후에 50명 교회가 되겠다', '100명 교회가 되겠다', '300명, 500명 교회가 되겠다' 등등 각각의 목표가 달랐습니다. 저는 이어서 말했습니다.

"목표를 적은 종이를 여러분들 교회 사무실에 붙여 놓고 밤낮으로 쳐다보고 기도하고, 마음속에 그 모습을 그리십시오. 성령께서 역사하실 것입니다."

저는 2년 후에 다시 호주에 갈 기회가 생겼습니다. 그때 호주 하나님의 성회 총회장님이 눈물을 글썽이며 말했습니다.

"목사님, 우리 교회는 10년 동안 조금도 성장하지 않았었는데, 꿈을 꾸고 기도했더니 2년 만에 100% 성장을 했습니다. 저희 교회뿐만이 아닙니다. 지금 호주의 모든 교회가 성장하고 있습니다."

이것은 꿈꾸며 기도하여 얻게 된 산 증거였습니다. 꿈의 원리를 적용하여 기도한 결과, 호주의 한 교회는 수천 명의 성도가 출석하기까지 성장했습니다.

지금 저는 국내에 500교회 이상을 개척한다는 새로운 꿈을 품고 있습니다. 목표가 있고 구체적인 계획이 있어서 주야로 그 꿈을 바라보고 있는 것입니다. 그리고 각양각색의 해외 대중 집회에 대한 꿈도 가지고 있습니다. 온 천하만국에 나가서 복음을 전하겠다는 꿈의 목표인 것입니다. 그래서 저는 그 꿈을 보고 잠에서 깨어나고, 그 꿈을 가지고 잠자리에 들어가며 하루 종일 그 꿈의 목표를 바라보고 있습니다. 꿈을 바라보고 있을 때 그 꿈이 믿음을 생산하고 성령의 역사를 일으키는 것입니다. 그렇기 때문에 가슴속에 꿈을 품어야 합니다. 가슴에 품고 있는 그 꿈이 바로 미래를 창조하는 하나님의 손길이 되기 때문입니다.

언젠가 남미 선교여행 중에 카브레라는 목사님을 만났습니다. 카브레 목사님은 저에게 하나님의 역사에 대한 자신의 간증을 했습니다. 한 어머니가 귀가 없는 아이를 안고 안수기도를 받으러 왔다고 합니다. 카브레 목사님은 기도하면서 그 아이에게 하나님이 멋진 귀를 만들어서 붙여주는 것을 상상했습니다. 그리고는 그 어린아이에게 간절히 안수하면서 기도를 해 주었습니다. 그런데 기도를 하고 난 다음 얼마 있지 않아 아이에게 귀가 아닌 조그만 혹이 생겨났습니다. 이상하다 싶었지만 그래도 열심히 기도했습니다. 다시 기도 받으러 왔을 때도 처음과 변함없이 귀가 생길 꿈을 가지고 상상하고 그림을 그리면서 안수해 주었습니다. 그는 계속해서 그렇게 기도했다고 합니다. 그 아이의 부모에게도 아이에게 이미 귀가 있다고 생각하고 아침마다 "우리 아기, 귀가 예쁘구나."라고 말하고 귀가 생긴 것을 바라보면서 쓰다듬어 주라고 가르쳐 주었습니다. 그래도 별반 다른 일이 없어보였습니다. 역시나 이 날도 귀가 없는 것을 있는 것 같이 생각하고 안수하고 기도했습니다. 눈을 떠보니 그 작은 혹이 마치 부채처럼 펴지더라는 것입니다. 이것은 주님의 놀라운 기적이 아니고서야 있을 수 없는 일입니다. 이처럼 바라고 원하는 것은 성령 안에서 믿음으로 먼저 그리고 꿈꾸고 상상할 때 그림대로 나타나는 것입니다.

이처럼 4차원의 요소인 꿈의 목표는 구체적이어야 합니다. 왜냐하면 3차원에 나타나야 하는 현실의 상황은 구름을 잡는 듯 막연한 것이 아니라 실제로 일어나는 아주 구체적인 것이기 때문입니다. 그 실제의 모습을 바라보고 목표를 정하십시오.

그리고 더 나아가 보다 세밀하고 구체적인 목표를 얻기 위해 기도하십시오. 금식기도를 하는 이유도 우리 자신의 4차원의 세계를 명확하게 하기 위한 것입니다. 우리 자신의 꿈을 명확하게 하기 위한 것입니다. 금식을 하면서 우리의 에너지원을 끊어버리고, '내가 할 수 있다'는 자아를 포기하는 것입니다. 이런 모습 속에서 우리는 오직 하나님만 바라보면서, 우리를 변화시키게 됩니다. 이렇게 우리 자신이 변화되면, 우리의 4차원 세계가 바뀌는 것입니다. 그리고 그 가운데 하나님이 역사하시고, 하나님이 보여주시는 꿈을 세밀하게 알게 되는 것입니다. 따라서 기도를 통해 보다 구체적이고 명확한 자신의 목표를 찾으시기 바랍니다.

십자가를 통과한 목표를 세워라

세상 모든 운동선수에게, 가족이 있는 가장에게, 몸이 아픈 환자에게는 각각의 간절한 목표가 있기 마련입니다. 그러나 우리는 같은 꿈도 달리 꾸는 특별한 사람들이 되어야 합니다. 예수 그리스도의 십자가를 바라보고 영혼과 육체 그리고 생활의 질병에서 건강하게 되는 구체적인 꿈의 목표를 마음속에 받아 들여야 합니다. 현재의 영혼과 육체 그리고 삶이 어떠한 상황에 있든지 그것에 연연하면 안됩니다. 우리는 그리스도의 꿈을 받아 들여야 하는 것입니다. 베드로전서 2장 24절에 "친히 나무에 달려 그 몸으로 우리 죄를 담당하셨으니 이는 우리로 죄에 대하여 죽고 의에 대하여 살게 하려 하심이라 저가 채찍에 맞음으로 너희는 나음을 얻었나니"라고 기록되어 있습니다. 우리는 예수님의 꿈을 십자가를 통해서 받아들여야 합니다. 그 때 우리의 정신적인 장애는 제거되고, 나음을 얻으며, 하나님의 능력을 보게 되는 것입니다.

우리는 십자가를 보면서 예수 그리스도 안에 있는 아브라함의 축복과 형통을 그리고 꿈의 목표를 바라보아야 합니다. 저주와 가난의 정신적인 장애를 제거하고 그리스도를 통한 아브라함의 축복과 형통을 받아들여야 하는 것입니다. 이것이 그리스도가 우리를 향해 품으신 꿈인 것입니다. 갈라디아서 3장 13절은 "그리스도께서 우리를 위하여 저주를 받은바 되사 율법의 저주에서 우리를 속량하셨으니 기록된바 나무에 달린 자마다 저주 아래 있는 자라 하였음이라"고 기록되어 있습니다. 우리는 십자가를 통과한 그리스도의 꿈으로 목표를 세워야 합니다. 더구나 믿는 사람들의 궁극적인 목표는 이 땅에 머물지 않습니다. 영원한 나라에까지 미치는 영원한 목표가 있는 것입니다. 고린도후서 5장 1절은 "만일 땅에 있는 우리의 장막집이 무너지면 하나님께서 지으신 집 곧 손으로 지은 것이 아니요 하늘에 있는 영원한 집이 우리에게 있는 줄 아나니"라고 말씀하고 있습니다. 우리를 위해 십자가를 지신 예수님을 바라보십시오. 그리고 꿈을 꾸십시오. 우리의 소망은 이 땅을 초월해 저 하늘나라까지 닿을 만큼 높이 있는 것입니다.

3. 꿈의 성취과정에서 작은 일부터 실천하라

갓난아이를 인큐베이터에서 조금씩 자라게 하듯이, 조그만 꿈을 잘 간직하면서 계속 키워 가십시오. 성령님과 동행하면서 작은 일에 충성하며, 고난을 이겨내십시오.

십자가를 통해 키운 꿈은 심어져야 결실을 맺게 됩니다. 현실이 아무리 어려워도 그 마음속에 성령의 도우심으로 갖게 된 거룩한 꿈을 심으면 그것이 점점 자라나서 3차원을 이기고 변화시키는 것입니다. 죽음은 생명으로, 무질서는 질서로, 흑암은 광명으로, 가난은 부유로 변화되기 시작하는 것입니다. 인생의 변화는 4차원의 꿈의 변화에서 오는 것입니다. 여러분의 꿈을 심고 이루십시오.

꿈의 성취에 앞서서 준비하라

사람들은 모두 인생의 변화, 꿈의 성취를 간절히 바랍니다. 그런데 그저 막연히 바라기만할 뿐 그것을 위한 준비는 실제로 하지 않습니다. 꿈을 이루기 위해서는 그 사전준비가 필수조건 입니다. 꿈이 있다면, 그것이 꼭 이루어진다는 확신을 갖고 그 꿈은 이미 실재가 되어 나타난 것처럼 행동해야 합니다. 이것이 꿈을 이루기 위한 사전준비인 것입니다. 준비되지 못한 사람에게 꿈은 그저 꿈일 뿐입니다. 현실로 그 꿈을 만나기는 어렵습니다.

지금의 여의도순복음교회 대성전은 처음 여의도에 건축했던 성전을 밖으로 넓힌 성전입니다. 교회가 성장하면서 저는 대성전을 중심으로 타운을 건설할 계획을 세웠습니다. 교육관, 2개의 선교센터 등 여러 건물을 늘려 나갔습니다. 그리고 일간신문인 국민일보사를 건설했습니다. 또한 기도원도 확대할 필요를 느껴서 준비하고 계획을 세웠습니다. 왜냐하면 교회성장으로 인해 우리는 더 많은 영혼이 하나님과 깊은 교제를 가지도록 도울 수 있기 때문입니다. 제가 여의도에 교회를 지을 무렵, 저에겐 2백만원밖에 없었습니다. 그 당시에 교회건축의 예상비용은 20억원이었습니다. 그러나 저는 모든 재정을 하나님 안에서 충당했습니다. 하나님은 저의 자원이십니다. 비전과 열정을 붙잡았을 때 재정은 맨 마지막 일인 것입니다. 그것은 하나님께서 다 맡아 주십니다.

하나님의 일에는 우선순위가 있습니다. 첫 번째로, 그 일이 주님의 뜻인지를 분별해야 합니다. 두 번째로, 명확한 목표를 세워야 합니다. 세 번째로, 그 목표를 달성하기 위해 강렬한 열정이 있어야 합니다. 마지막으로, 이 모든 일을 하나님께서 함께 도우신다는 확고한 믿음이 있어야 합니다. 만일 이러한 모든 사항이 갖추어졌다면 그 다음 계산기에 팔을 내뻗고 비용을 지불해야 할 때입니다. 제 경우는 물질이 채워진다고 믿고서 담대하게 나아갑니다. 주위 환경과 어려운 상황은 문제가 되지 않습니다. 단지 믿음으로 나아갈 뿐입니다. 이루시는 분은 바로 하나님이시기 때문입니다.

우리는 아기가 태어나기 전에 아기 옷과 신발 그리고 침대를 준비합니다. 그래야 아기가 태어났을 때 잘 지낼 수 있습니다. 우리의 모든 꿈도 마찬가지입니다. 꿈이 잉태되었다면 우리도 현실적인 대안을 준비해야 합니다. 그것을 성령님의 능력에 의해 품고 있어야 합니다. 그것이 꿈이 태어나는 유일한 방법입니다. 모든 꿈은 단지 완성되는 것이 아니라, 태어나게 될 것입니다. 꿈이 이루어졌을 때 그것을 누일 수 있는 꿈의 침대를 만들어야 하는 것입니다.

저는 당신이 준비하기를 원합니다. 더 나아가, 하나님은 교회를 통해 복음이 온 세계 지구촌에 전해지기를 꿈꾸시고 계십니다. 우리는 하나님의 꿈이 이뤄지도록 노력해야 합니다. 하나님은 우리의 모든 자원이십니다. 우리가 하나님을 자원삼아 의지하고 믿음으로 나아갈 때 그분은 절대로 우리를 실망시키지 않으십니다.

꿈의 성취가 믿어질 때까지 기도하라

창세기 17장에 보면, 아브람이 나이 99세가 되었을 때 자식을 주겠다고 약속하셨습니다. 아브람과 사래에게는 현재 자식이 없습니다. 그런데 하나님은 '없는 것을 있는 것 같이 부르라' 고 했습니다. 아브람은 99세요 사래는 89세입니다. 호호백발 할아버지 할머니이고, 자식도 없습니다. 그런데도 '많은 민족의 아버지', '많은 민족의 어머니' 라는 뜻의 아브라함, 사라로 이름을 먼저 바꾸라고 하셨습니다.

그들에게는 아직 자식이 안 보입니다. 없습니다. 그러나 하나님 앞에서는 이미 자식이 있는 것입니다. 없는 것을 있는 것 같이 부르신다고 한 것은 하나님 앞에서는 시간이 다 현재이기 때문에 하나님께 이삭은 벌써 태어나 있는 것입니다. 그러나 사람의 눈으로는 보이지 않으므로 '없는 것을 있는 것 같이 부르라' 고 한 것입니다.

하나님을 믿는 사람은 없는 것을 있는 것 같이 마음속에 확신을 가지고 그것을 시인해야 하는 것입니다. 주님은 "무엇이든지 기도하고 구하는 것은 받은 줄로 믿으라 그리하면 너희에게 그대로 되리라"(막 11:24)고 말씀했습니다. 이는 없는 것을 있는 것 같이 생각하고, 보고, 믿으라는 것입니다. 아직까지 안 받았지만 받은 줄로 믿으라는 것입니다.

주님께서 "누구든지 이 산더러 들리어 바다에 던지우라 하며 그 말하는 것이 이룰 줄 믿고 마음에 의심치 아니하면 그대로 되리라"(막 11:23)고 하셨는데 이 말씀은 산더러 들리어 바다에 던지우라고 하기 전에 그 산이 바다에 던져지도록 하나님께 기도해서 받은 줄로 마음의 확신을 얻으라는 것입니다.

그리고 무엇을 위해서 기도하든지 간절히 기도해야 합니다. 그러면 언제까지 기도해야 합니까? 마음속에 성령이 오셔서 '이제는 응답을 받았다. 이제는 괜찮다.' 그렇게 없는 것을 있는 것처럼 마음에 확신을 주실 때까지 기도해야 하는 것입니다. 이미 여러분도 이것은 모두 체험했을 것입니다.

저도 어떤 목표를 가지고 기도할 때 하나님 앞에 처음 기도를 시작하면 그것이 너무나 멀리 있습니다. 그러나 "하나님! 이것을 응답해 주옵소서."하고 계속 기도하면 멀리 있던 것이 자꾸 가까워 옵니다. 그러다가 어느 날은 기도할 때 마음속에 확 응답받았다는 확신이 듭니다. 그러면 그때부터 없는 것을 있는 것 같이 생각하고, 바라보고, "나는 응답받았다." 하고 말하게 되는 것입니다.

질병의 문제를 가지고 우리 교회의 금식기도원에 올라가서 금식기도를 하는 사람들이 많습니다. 그들이 기도원에 올라갈 때만 해도 아직까지 치료는 저 멀리 보입니다. 그러나 기도원에 가서 금식하며 하루, 이틀, 사흘 이렇게 기도하다 보면 어느 날 갑자기 마음속에 '아! 나았다.' 하는 확신이 옵니다. 그러나 아직 눈으로 볼 때는 낫지 않았습니다. 예수님이 무화과 나무를 보고 저주를 하셨어도 아직 무화과 나무는 새파란 채로 있었습니다. 무화과 나무가 마른 것은 하루 뒤였던 것입니다. 이처럼 '내가 나았다.' 하는 확신이 왔지만 아직도 병이 있습니다. 그럼에도 불구하고 "할렐루야!" 하고 기도원에서 내려와 며칠 있다보면 어느새 나아버리고 맙니다.

믿은 것이 이루어지기까지는 시간이 걸립니다. 마치 풀을 뽑아 놓으면 뿌리가 뽑혔으니 이미 죽었지만 바싹 마르는 데 까지는 시간이 걸리는 이치와도 같습니다. 이처럼 이미 믿은 것은 이루어진 것이지만 그것이 실제로 나타나는 데에는 시간이 걸리는 것입니다.

우리 교회의 한 자매님은 낮은 계단 몇 개도 올라가지 못할 정도로 심장이 나빴습니다. 병원에서는 심장수술을 해야 낫는다고 했습니다. 심장 관상동맥의 혈관이 막혔기 때문에 수술하지 않고는 나을 수가 없다고 했습니다. 그러나 자매님은 수술을 뒤로 하고 기도원에 올라갔습니다. 그리고 기도원 숙소에 앉아 기도를 했습니다.

"하나님 아버지! 병원에 가지 않고 심장 수술비를 하나님께 드립니다. 하나님이 저를 직접 수술해 주세요."

믿지 않는 사람이 들으면 참으로 어리석기 짝이 없습니다. 심장 관상동맥이 막혔는데 수술을 안 하면 어떻게 나을 수 있습니까? 그러나 그 자매님은 그렇게 기도를 하였을 때 마음속에 나왔다는 확신이 서면서 성령님의 음성을 들었습니다.

"뛰어보라!"

주님의 음성이 들렸습니다. 뛰었다가는 죽습니다. 그런데 '나았다!' 하는 확신이 너무나 커서 마침내 그 자리에서 일어나 훌쩍 훌쩍 뛰어봤습니다. 희한하게도 숨이 차지 않았습니다. 그리고 계속 기도하니까 "저 엘리야 고지까지 올라갔다가 내려오라"는 음성이 마음에 확 들어왔습니다. 엘리야 고지는 우리 교회 금식기도원의 산 중턱에 있는 곳으로, 정상인이 오르기에도 꽤 힘든 곳입니다. 자매님은 일어나서 바로 엘리야 고지로 올라갔다 내려왔습니다. 보통사람처럼 거뜬하게 올라갔다가 내려왔습니다. 기적이 일어난 것입니다! 그가 없는 것을 있는 것 같이 믿고 바라보고 확신하니 깨끗이 나아버린 것입니다.

여러분, 우리가 무엇이든지 하나님 앞에 엎드려 기도할 때에는 확신이 올 때까지 기도해야 합니다. 도저히 이룰 수 없을 것 같이 높아만 보이는 목표일지라도 우리는 기도해야 합니다. 예수를 믿지 않는 남편이나 아내, 자녀들에 대한 꿈, 사업, 질병에 대한 소원들은 우리 앞에 놓인 태산 같이 높은 산입니다. 내 힘으로는 도저히 다스릴 수 없는 힘든 목표와 소원, 꿈을 가지고 하나님 앞에 엎드려 간절히 부르짖고 기도하십시오. 받은 줄로 믿어질 때까지 기도해야 하는 것입니다.

꿈의 성취를 바라보며, 작은 일에 충성하라

미국의 유명한 카네기 강철회사의 후계자는 찰스 스웹(Charles Swab)이라는 사람입니다. 그는 초등학교 밖에 못 나온 사람으로 이 회사의 잡역부로 취직을 했습니다. 그가 맡은 일은 잡역부였지만, 그는 마음속에 무엇이든 맡은 일에 최선을 다하고자 하는 성실함과 밝은 꿈을 언제나 지니고 다녔습니다. 그리고 작은 일에 최선을 다하는 자신도 이 회사의 주인이라는 생각을 갖고 성공적인 미래의 모습을 바라보았습니다.

그는 매일 매일 공장의 구석구석을 정리하고 깨끗이 청소했습니다. 마치 자기 집처럼 자기가 주인인 공장처럼 그렇게 정리하고 정돈했습니다. 그런 모습을 보고 사람들은 비웃었습니다. 그러나 찰스는 다른 사람의 비난에도 아랑곳 하지 않고 비가 오나 눈이 오나 꾸준히 공장을 깨끗하게 정리하고 청소하며 '이 거대한 공장은 나의 것' 이라는 꿈과 주인의식을 가지고 일했습니다. 그러한 그의 행동과 태도는 결국 사람들에게 감동을 주었습니다. 그는 성실함을 인정받아 잡역부에서 정식 사원으로 발탁되었습니다.

정식 사원이 되고 난 후에도 그는 이전과 똑같이 열심과 주인의식을 가지고 모든 일에 최선을 다했습니다. 그의 행동은 곧 소문이 났고 이에 감동한 카네기 사장은 그를 비서로 채용했습니다. 카네기 사장의 비서가 된 그는 마치 사장 입의 혀와 같이 충성을 다했습니다. 그는 "나는 이 회사의 주인으로서 오리를 가라하면 십리를 가고, 속옷을 달라 하면 겉옷을 주는 심정으로 일해야 한다."는 마음을 먹었습니다. 그리고 열심을 다해 성실히 일했습니다. 이러한 그를 본 카네기 사장은 얼마나 감동했던지 전 사원을 모아 놓고 당시 2000~3000달러의 연봉을 받던 그에게 100만 달러의 보너스를 주었습니다. 카네기 사장은 스웹이 품고 있는 꿈과 주인의식은 그 어떤 값으로도 계산할 수 없는 것이라고 칭찬하였습니다.

강철 왕 카네기가 연로하여 은퇴할 때가 되자 사원들은 이 거대한 회사의 후계자는 과연 누가 될지에 대해 매우 궁금히 여겼습니다. 사람들은 하버드대학 출신이 후계자가 될까, 프린스턴대학의 출신이 후계자가 될까 아니면 어느 명문대가의 자녀가 후계자로 발탁될 것인지 저마다 이래저래 생각하며 떠들어댔습니다.

그러나 카네기 사장은 잡역부에서 자신의 비서가 된 스웹을 후계자로 지명했습니다. 이것은 온 세계를 깜짝 놀라게 했습니다. 스웹 자신도 매우 당황하였습니다. 카네기 사장은 학력과 지식이 높은 사람이 회사를 잘 이끌 수 있는 것이 아니라 회사에 대한 사랑과 주인의식 그리고 꿈을 가진 사람만이 회사를 잘 운영할 수 있다는 것을 강조하였습니다. 그래서 항상 꿈과 주인의식을 가지고 충성스럽게 일하는 찰스 스웹이야 말로 회사를 잘 이끌어갈 주인이라 생각했던 것입니다.

여러분, 지금 계신 곳이 어디든 최선을 다하십시오. 주님이 여러분을 도와주시고 함께해 주십니다. 작은 일에도 충성을 다하는 우리가 됩시다. 하나님은 모든 걸 보시고 우리의 마음을 아십니다. 그래서 그 마음을 꼭 높이 쓰실 것입니다. 하나님만 바라보며 맡은 일에 전심을 다합시다.

꿈의 성취와 연결된 고난터널

꿈과 소원은 저절로 이루어지지 않습니다. 그것이 이루어지기 위해서는 고난이라는 터널을 통과해야 합니다. 꿈은 대가 없이 이루어지지 않습니다. 우리는 고난을 통과하면서 자아가 깨어지고 더욱 하나님을 믿고 순종하게 됩니다. 내 고집대로, 내 생각대로, 내 계획대로 행하던 삶을 하나님께서는 환난을 통해 깨뜨리시고 잘못된 길에서 돌이켜 하나님께로 돌아오도록 만드십니다. 하나님께서는 우리 각자의 인생을 위해 모든 일을 예정해 놓으셨습니다. 우리가 그 길을 올바로 걸어갈 때 하나님께서는 우리를 더욱 축복해 주십니다.

꿈을 이루기 위해서는 소원을 바라보고 대가를 지불해야 합니다. 특히 고난은 우리의 자아가 깨어져 하나님을 더욱 믿고 순종하게 하기 위한 하나님의 계획입니다. 환난은 우리의 신앙을 자라게 하고 더욱 힘 있게 만듭니다. 시련과 고난을 경험한 사람만이 꿈을 이루고 더욱 강한 힘을 가지게 됩니다. 팔에 강한 힘이 생기도록 근육을 훈련합니다. 마찬가지로 우리의 꿈과 소망은 환난을 통해 자라고 더욱 힘 있게 되는 것입니다. 그리고 고난은 더욱 큰 꿈과 소망을 가져오는 씨앗입니다. 고난을 통하면 반드시 저 건너편으로 갈 수 있습니다. 고난은 꿈으로 나아가게 하는 터널일 뿐입니다. 그 터널을 통과하지 않으면 그 자리에 머무를 수밖에 없습니다. 그러나 고난의 터널을 지나면 건너편에 도달할 수 있습니다. 시련의 터널을 통해 우리는 큰 꿈으로, 더 넓고 더 희망찬 세계로 건너 갈 수 있습니다.

베드로전서 1장 7절은 "너희 믿음의 시련이 불로 연단하여도 없어질 금보다 더 귀하여 예수 그리스도의 나타나실 때에 칭찬과 영광과 존귀를 얻게 하려 함이라."고 말씀하고 있습니다. 환난은 꿈이라는 상 위에 차려진 밥입니다. 왜냐하면 꿈은 대가가 지불되어야 이룰 수 있는 것이기 때문입니다. 꿈을 가지고 있으면 꿈이란 상 위에 차려진 환난이라는 밥을 반드시 먹어야 합니다. 꿈이 있는 사람에게 환난은 밥이 되어 그것을 먹음으로 더 큰 힘과 용기를 얻어 꿈을 향해 전진할 수 있습니다. 꿈이 있는 자에게 고난과 시련은 아무 것도 아닙니다. 그것은 단지 꿈을 이루기 위한 하나의 과정으로 우리가 즐기고 먹을 수 있는 꿈을 이루는 밥이 되기 때문입니다.

4. 항상 '희망의 꿈' 을 간직하고 확산시켜라!

당장 눈에 보이지 않는다고 실망할 필요가 전혀 없습니다. 기다리십시오. 십자가의 고난을 묵상하십시오. 그리고 희망을 나누는 삶을 사십시오.

당신은 하나님께서 언제나 함께 하신다는 것을 믿습니까? 그리고 언제나 지켜 주실 것을 믿습니까? 우리에게는 희망이 있습니다. 언제나 반드시 우리를 도와주실 주님이 계시기 때문입니다. 그래서 우리는 무엇이든 할 수 있습니다. 하나님 안에서 바라보고, 믿고 꿈꾸고 기도하면 모든 것을 이뤄주십니다. 하나님의 희망을 품고 굳세게 기도하십시오. 여러분은 택함 받은 하나님의 존귀한 사람입니다.

희망의 메시지

저는 1958년에 신학을 마친 후 교회를 개척했습니다. 서울 불광동 대조마을이라는 아주 가난한 동네에 천막 교회를 세웠습니다. 그 당시는 6.25 전쟁이 끝난 지 얼마 되지 않은 터라 매우 무질서했고 가난과 질병이 들끓던 때였습니다. 서울은 피난민을 비롯해 전국 각처에서 모여든 사람들로 뒤범벅이 되었습니다. 난리통인 서울 한 가운데서도 대조동은 특히나 가장 궁핍한 동네였습니다. 저는 즉시로 하나님의 복음을 전파하기 시작했습니다. 하나님의 희망의 빛이 가장 절실히 필요한 곳이었기 때문입니다.

"여러분, 회개하고 주님을 영접하십시오! 여러분은 한 사람 한 사람 모두가 존귀한 하나님의 자녀입니다! 예수 믿고 구원 받으십시다!"

그러나 저의 외침에 어느 누구도 대꾸를 해주는 사람이 없었습니다. 대조마을은 험하기 그지없었습니다. 워낙이 극빈자들만 모여 사는 곳인지라 온갖 문제 있는 사람들은 다 모인 듯 했습니다. 알콜중독자를 비롯해 깡패, 각종 병자들이 넘쳐나는 곳이었습니다. 그런 이 절망의 골짜기에 사건 하나가 일어나게 되었습니다. 이 사건은 저의 목회 신념에 큰 영향을 주게 됩니다.

빼곡히 들어선 판잣집 사이로 유독 눈에 띄는 한 집이 보였습니다. 정말로 쓰러지기 일보직전의 불안전한 모습이었습니다. 저는 용기를 내어 문을 두드렸습니다. "계십니까?" 한 여인이 문을 열고 고개를 내밀었습니다. "누구요?" 그녀는 이초희라는 이름을 가진 함경북도 북청에서 피난 온 사람이었습니다. 얘기를 들은 즉 아들 아홉 명과 자나 깨나 술에 찌들어 사는 남편을 둔 가엾은 여인이었습니다. 게다가 심장병과 위장병의 고통속에 몸은 꼬챙이처럼 말라 있었습니다. 부인의 삶은 차마 말로 표현하기 힘들 정도였습니다. 저는 그 부인을 전도하기로 마음먹었습니다. 날마다 찾아가 문을 두드리며 예수 믿고 천국가자고 부인을 설득했습니다. 그러자 부인은 종교인들은 모두 거짓말쟁이라며 지금 살고 있는 여기가 지옥인데 천국이 도체 어디 있냐고 매우 화를 내었습니다.

"나는 죽어서 가는 곳엔 관심 없어요. 죽으면 그뿐이지. 나에겐 지금

이 생활이 지옥 그 자체입니다. 당신도 한 번 보세요. 우리 집이 사는 이 형편을요. 나는 지금 잘 살고 싶지 죽어서 살고 말고는 관심 없어요. 필요없으니 가봐요!"

저는 전도하러 갔다가 오히려 그 부인의 말에 전도를 당했습니다. 구구 절절히 다 맞는 이야기였기 때문입니다. 저는 결국 아무 말도 못하고 천마교회로 돌아왔습니다. 그 부인의 말이 계속 귓가에 맴돌았습니다. 그 부인의 말대로 지금 우리의 삶 속에 천국이 와야 합니다. 저는 생각했습니다. '그렇다! 죽은 뒤에 천국이 아니라 지금 천국이 필요하다! 우리를 너무나 사랑하시는 하나님께서는 사랑하시기에 우리가 행복하기 원하시지 않던가?'

인류는 하나님의 사랑으로 지음 받았지만 하나님을 배신합니다. 그래서 수고한 짐을 지며 죄 가운데 살아가야만 했습니다. 그런 우리를 하나님은 불쌍히 여기셨습니다. 그래서 독생자 예수 그리스도로 하여금 십자가에서 피 흘리어 우리의 죄를 대속하고 저주와 죽음, 질고를 대신하게 하셨습니다. 예수 그리스도를 통해 영원히 죄 가운데 있을 수밖에 없는 우리를 구원해 주신 것 입니다. 그 구원의 놀라운 역사로 우리는 그저 예수를 믿기만 하면 됩니다. 그러면 영혼이 잘됨 같이 범사에 잘되고 강건한 삶을 얻을 수 있습니다. 이것은 특정한 몇 사람을 위해 준비하신 것이 아닙니다. 온 인류를 위해 준비하신 것입니다. 그래서 예수님의 십자가로 전인구원을 이루도록 하셨습니다. 십자가을 통한 구원은 영혼의 구원만 가진 것이 아니라 영과 육과 현실을 구원하는 전인구원의 메시지를 갖고 있습니다. 이것이 복음입니다. 이보다 더 큰 위대한 사랑이 어디에 또 있겠습니까?

우리는 그저 믿음으로 말미암아 하나님의 은혜로 죄에서 용서받고, 믿음으로 말미암아 저주에서 해방을 얻고 하나님의 축복을 받게 되며, 믿음으로 치료도 받고 구원도 받을 수 있습니다. 저도 예수 그리스도를 이 믿음의 소망으로 만나게 되었습니다. 죽음으로 내 몰린 완전히 절망적인 상황에서 성경을 읽으면서 큰 소망의 불기둥을 발견했습니다. 그리고 저는 목회자가 되었습니다. 그리고 이 소망이 얼마나 중요한지를 더 절실히 느끼게 되었습니다.

저는 그 부인이 자꾸 생각났습니다. 그리고 그 부인에게도 이 소망의 메시지가 필요하다는 걸 깨달았습니다. 그래서 부인을 다시 찾아갔습니다.

"아주머니, 우리 팔자 한번 고쳐 보십시다!"

부인은 의아해 했습니다. "전에는 와서 천국얘기를 지껄이더니, 목사라는 사람이 오늘은 갑자기 웬 팔자타령이랍니까? 정말 웃기는 양반일쎄 잔말말고 빨리가요!"

부인의 독설은 계속 되었지만 저는 계속 말했습니다.

"당신의 팔자를 고쳐줄 사람을 알고 있습니다. 함께 가십시다. 그분께

가면 당신 남편은 술도 끊게 될꺼고, 아이들 교육도 시켜주시며, 배 부르게 먹고 마실 집도 주십니다. 어서 함께 가십시다!"

부인은 그제서야 돌아보았습니다. 그리고 부인의 마음이 조금식 열리기 시작했습니다.

부인과 함께 논길을 지나 다 떨어진 천막에 가마니를 깔아놓은 교회 안에 도착했습니다.

"여기가 어딥니까?"

"저희 교회입니다."

부인은 천막을 한 번 쓱하고 다 둘러보더니 배를 잡고 깔깔깔 웃었습니다.

"당신 팔자나 고쳐요. 나나 당신이나 별반 없는데, 무슨 소리랍니까? 그 사람한테 당신이나 고쳐달라고 해요."

아마 여러분도 그 자리에 계셨다면 같이 웃으셨을 겁니다. 그러나 저는 부인에게 힘주어 말했습니다.

"맞습니다. 당신 팔자나 내 팔자나 다 형편없습니다. 그러나 예수 그리스도 안에서 우리는 소망을 얻을 수 있습니다. 우리가 예수를 믿음으로 영적 구원을 받았을 뿐 아니라 물질적으로 축복을 받고, 저주에서 해방을 얻었으며 질병에서 치료받아 건강을 얻고, 영원한 부활의 생명을 얻었으니 우리 한번 믿어봅시다"

부인은 소망에 대한 이야기를 하니까 그제야 화를 접었습니다. 그리고는 계속 매일같이 그 천막교회에 나왔습니다. 그래서 함께 소망에 대한 이야기를 나누고 기도했습니다. 그러자 부인에게 놀라운 일이 생겼습니다. 소망을 가지고 기뻐하며 생활하게 된 그녀는 심장병과 위장병이 깨끗이 나았고, 석 달 동안 집중기도를 한 결과, 그 남편이 술을 끊고 교회에 나오기 시작했습니다. 이것은 기적입니다. 주님께서 행하신 큰 일입니다. 또한 겹경사로 함경북도 북청 도민회를 통해 직장을 구하게 됐고, 집안 살림은 점차 펴져가기 시작했습니다. 아이들도 학교에 보낼 수 있게 되는 놀라운 일이 일어났습니다. 그 당시는 땅만 내주면 집을 지을 수 있는 때였습니다. 교회 조그마한 땅을 마련해 제가 보증을 서고 재료를 얻어서 집을 지어 주었습니다. 이제 부인의 삶은 더 이상 지옥이 아니었습니다. 그 여인은 예수를 믿고 영혼이 잘됨 같이 범사가 잘되고 강건해지는 기적을 체험한 것입니다. 그 부인을 향해 주님이 베푸신 굉장한 소망의 메시지에 저도 큰 감동을 느꼈습니다.

이 부인의 사건은 제 목회에 많은 영향을 끼쳤습니다. 저는 이 일을 계기로 더 강력하게 소망의 메시지를 증거하게 되었습니다. 그래서 천막교회는 3년 만에 500명의 신자가 되었습니다. 가난과 절망으로 찌든 동네가 점점 소망이 가득한 동네로 변해 갔습니다. 성도들은 소망을 품고 열심히 기도하며 일했습니다. 그 결과 돈을 모아서 땅도 사고 교회도 짓게 되었습니다.

1961년도에 저는 그곳을 떠나서 서대문으로 사역지를 옮겼습니다. 서대문 네거리에서 교회를 시작했는데 많은 사람들이 저를 비웃었습니다. 왜냐하면 서대문 네거리에는 독립문교회와 아현감리교회가 있었고, 또 근처에 정동교회와 새문안교회도 있었기 때문입니다. 한국의 쟁쟁한 교회들이 모인 한 가운데를 아직은 어리고 경험도 부족한 26살 먹은 청년이 겁 없이 뭣 모르고 뛰어들었다며 저마다 한 마디씩 말을 던졌습니다.

그러나 저는 그렇게 생각하지 않았습니다. 저에겐 무엇보다도 귀한 주님의 소망이 있었기 때문입니다. 1960년도에 이르러 한국은 눈이 부실 만큼 큰 도약을 했습니다. 박정희 대통령의 새마을 운동을 계기로 산업화가 시작되었고, 많은 사람들이 서울로 직장을 구하러 왔습니다. 서울에서 머물 곳이 없던 그들은 아현동, 현저동 산꼭대기로 모여 들었습니다. 돈도 없고 배경도 없는 사람들이 모인 그곳도 역시 대부분이 판잣집이었습니다. 추위를 이겨내기 위해서는 판자촌에는 연탄을 밤낮 가리지 않고 그냥 계속 피워 놓아야만 했습니다. 갑자기 바람이 불어와 온 집을 확 덮으면 가스가 온 집을 확 덮습니다. 그러나 그들에겐 어쩔 도리가 없습니다. 그냥 그대로 아픈 머리를 부여잡고 살아가야만 했습니다. 저는 그 사람들에게도 소망의 메시지가 필요하다는 것을 느꼈습니다. 저는 이 현실을 하나님께서 주신 기회라 생각했습니다. 계율을 가르치는 것이 아닙니다. 종교를 가르치는 것이 아닙니다. 기독교를 전하는 것이 아닙니다. 저는 오직 예수 그리스도 안에서 전인구원을 받을 수 있다는 소망의 메시지를 전하고자 했습니다. 그래서 한 때 저는 많은 교파와 주의 종들의 비난을 받기도 했습니다. 하지만 저는 고삐를 늦추지 않고 계속 강력하게 소망의 메시지를 전했습니다.

많은 사람들이 소망의 메시지를 들으러 교회를 찾았습니다. 우리 교회는 그 때 많은 사람들이 통성으로 울고 부르짖으며 기도한다고 해서 여타 교단들의 비난의 대상이 되기도 했습니다. 교회는 경건하고 거룩해야 하는 데 그렇게 울고 불고 소리치냐며 또 찬송을 부르면서도 시끄럽게 박수를 치냐며 곱지않은 시선으로 우리 교회를 비난했습니다. 솔직히 잘 사는 중산층이상의 인텔리들은 울 필요도 없고 박수를 칠 필요도 없습니다. 그러나 이 사람들은 교육도 받지 못했고, 가문도 돈도 없고, 배경도 없습니다. 모든 것이 절망의 세계에 있는 이들은 교회에 와서 소망의 메시지를 듣고는 하나님 앞에서 그저 목 놓아 울 수밖에 없습니다. 울어야 살 수 있습니다. 못 운다면 그 억눌림의 답답함과 스트레스로 못 살 것입니다. 그렇기 때문에 저는 목 놓아 울라고 강조했습니다. 아버지 집에 왔으니까 두 다리 뻗고 한없이 울라고 했습니다. 그러자 억울하고 원통한 마음의 사람들은 모두 와서 저마다 목놓아 울었습니다. 교회는 기도할 때 완전히 초상집 같았습니다. 그리고 찬송을 부를 때는 우리 아버지 앞에 왔으니까 기뻐하고 즐거워하자 하는 마음으로 힘차게 박수를 치며 찬송했습니다. 그러면서 사람들의 마음속에 있는 스트레스가 다 풀리고 평안이 임했습니다. 영적으로 구원을 체험하고, 강한 믿음을 가지게 되자 병도 낫는 기적을 체험하게 되었습니다. 이렇게 믿음을 가지고 나가니까 하나님께서도 도와주시는 것입니다.

저는 가장 중요한 것이 무엇인가를 알게 되었습니다. 사람들에게 하나님 안에 있는 소망과 꿈을 심어주어야 한다는 것입니다. 그래서 소망과 꿈을 심어주어야 할 곳이 있다면 저는 어느 곳이든 갑니다. 지구를 80바퀴 돌고 아프리카, 미국, 유럽, 남미대륙 등 안간 곳이 없습니다. 그리고 사람은 누구나 꿈과 소망을 간절히 원한다는 것을 알게 되었습니다. 왜냐하면 인간은 꿈과 소망이신 하나님의 형상대로 창조되었기 때문입니다. 그렇습니다. 우리는 하나님 안에서 아름답고 소중한 꿈을 꿀 수 있는 행복한 사람들입니다.

희망의 신학

독일의 유명한 신학자 위르겐 몰트만(Jürgen Moltmann) 박사는 자신의 신학을 "희망의 신학"이라고 말합니다.

그가 17살 때에 제2차 세계대전이 발발하였습니다. 그는 독일의 군인으로 징집되어 전쟁에 나갔다가 포로가 되었습니다. 영국의 포로수용소에서 그는 심한 좌절과 모욕을 당하며 고통에서 절망하였습니다. 게다가 자신이 태어난 함부르크가 폭격으로 완전히 폐허가 되고 가족들은 폭격으로 모두 죽었다는 소식을 듣고 심한 절망에 빠졌습니다. 청년 몰트만은 이제 나라도 망하고 자기가 태어난 도시도 폭격으로 폐허가 되었고 형제들도 다 죽고 게다가 자신은 포로수용소에서 날마다 버림받은 인생으로 멸시와 모욕을 당하고 있는데 삶의 의미라는 것이 있겠는가라는 생각으로 자살까지 생각했다고 합니다. 그런 절망가운데 있는 청년 몰트만에게 어느 목사님께서 성경책 한 권을 주셔서 읽게 되었습니다. 그는 성경을 읽는 중에 예수님께서 십자가에 못 박혀 죽는 장면을 보았습니다. 하나님의 아들로서 세상에 왔는데, 세상은 그를 인정하지 않았습니다. 예수님은 많은 이들에게 선을 베푸셨습니다. 그리고 병든 자들을 치료하셨습니다. 그러나 그렇게 은혜를 입은 자들이 일어나 오히려 예수님을 십자가에 못 박으라고 몰아쳤습니다. 또 가장 가까이에서 주님을 섬긴 제자들도 모두 도망쳐 버렸습니다. 예수님께서는 가장 외롭고 처절하게 버림받고 십자가에 못 박혀 죽으신 것입니다. 청년 몰트만은 이 장면을 보고 자기의 절망과 동질감을 느꼈다고 합니다.

그러나 예수님은 죽으신지 사흘 만에 사망과 음부를 이기시고 부활하셨습니다. 이것은 그에게 큰 충격을 주었습니다. 그는 가장 어둡고 캄캄한 절망에서 부활의 승리를 가지고 일어나는 예수님을 보면서 "나에게도 부활이 있을 수 있구나, 나의 가슴속에 그리스도를 모시면 이 절망에서 부활이 일어나고 파멸된 우리나라와 고향도 부활할 수 있고, 나의 잃어버린 가족이 다시 새로운 부활의 생명을 얻어 다시 가족을 이룰 수 있겠구나."하는 희망을 갖게 되었다고 합니다. 독일의 위대한 신학자 몰트만 박사의 '희망의 신학'은 이러한 상황 가운데 이루어졌습니다. 그는 가장 어둡고 캄캄한 절망 가운데 그리스도만이 부활을 주실 수 있음을 깨달았습니다. 그는 포로수용소에서 무릎을 꿇고 예수님을 구주로 영접하였습니다. 어둡고 캄캄한 절망이 광명한 빛으로 변화되어 부활로 말미암아 어두움은 이제 더 이상 없음을 알았다고 합니다.

우리의 마음속에 꿈과 소망이 없다면 아무리 잘 먹고, 잘 입고, 잘 살아도 그 마음은 죽어갑니다. 그러나 꿈과 소망이 있으면 아무리 환경이 고통스럽고 견디기 어려워도 살아남습니다. 인간에게는 살고자 하는 욕망이 강하게 있는데, 희망은 그런 욕망을 극대화 시키는 능력이 있습니다.

디모데전서 1장 1절은 "우리 구주 하나님과 우리 소망이신 그리스도 예수의 명령을 따라 그리스도 예수의 사도 된 바울은"이라고 말했습니다. 사도 바울은 예수 그리스도를 소망으로 삼고 살았던 사람입니다. 바울의 삶은 고난과 역경의 연속이었지만 예수 그리스도를 바라보고 그리스도를 통해 희망을 찾았기 때문에 모든 것을 이겨낼 수 있었습니다. 사도 바울은 감옥 속에서도 환경에 좌절하지 않고 감옥 밖에 있는 성도들에게 기뻐하라고 편지를 쓸 정도로 희망에 사로 잡혀 살았습니다. 그리고 로마로 호송되는 중, 배가 풍랑을 만나서 좌초될 위기에 처했을 때에도 담대히 그들에게 하나님의 인도를 선포하고 희망을 말할 수 있었던 것입니다.

'희망의 꿈' 을 계속 유지시켜라

나 개인의 이기적인 욕심과 욕망의 꿈은 타인과 나눌 수가 없습니다. 그러나 그리스도 안에 있는 온전한 희망은 서로 나누면서 배가됩니다. 희망은 서로 나눌 때 믿음의 반석 위에 세워지고 그 뿌리가 깊어집니다. 서로가 서로를 위로하고 희망을 말하고 칭찬하고 격려하면 희망의 꿈이 상승효과를 얻어 서로에게 더 큰 영향을 미치게 되는 것입니다.

그 사람의 꿈을 보면 그가 어떤 미래를 갖게 될지 알 수 있습니다. 그만큼 꿈은 우리들의 모습을 비춰주는 거울인 것입니다. 제가 성도들에게 5가지 복음과 3가지 축복을 계속 말하는 이유가 여기 있습니다. 십자가를 통해 꿈을 키워주기 위한 것입니다. 영혼이 잘됨 같이 범사에 잘되고 강건한 꿈을 심어주는 것입니다. 현실이 아무리 어려워도 그 마음속에 꿈이 있으면 그 꿈은 3차원을 점령하고 변화시키는 것입니다. 꿈은 3차원 세계를 인큐베이터 합니다. 아무리 개인생활이 혼동스럽고 공허해도 온전한 꿈으로서 인큐베이터하면 그것이 변화됩니다. 죽음은 생명으로, 무질서는 질서로, 흑암은 광명으로, 가난은 부유로 변화되기 시작하는 것입니다. 여러분, 언제나 하나님 안에서 꿈꾸십시오. 그리고 희망을 유지하십시오. 그러면 당신의 삶이 놀랍게 변화될 것입니다.

4차원의 꿈

이렇게 바꾸라

1. 하나님의 크고 비밀한 일을 기대하고 꿈꾸라

항상 하나님께서 당신에게 베푸실 크고 놀라운 일을 기다리고 꿈꾸십시오.
앞길이 절벽이 될 것을 꿈꾸어서는 안됩니다. 언제나 희망, 낙관적인 꿈을 꾸십시오.

2. 당신이 꿈꾸는 것을 구체적으로 그려라

분명한 대상을 먼저 마음 속에 그리십시오. 구체적으로 종이에 써보십시오.
보다 더 구체적인 목표를 얻을 때까지, 확신이 올 때 까지 기도하십시오.

3. 꿈의 성취 과정에서 작은 일부터 실천하라

갓난 아이를 인큐베이터에서 조금씩 자라게 하듯이,
조그만 꿈을 잘 간직하면서 계속 키워 가십시오.

4. 항상 '희망의 꿈' 을 간직하고 확산시켜라!

당장 눈에 보이지 않는다고 실망할 필요가 전혀 없습니다.
기다리십시오. 십자가의 고난을 묵상하십시오. 그리고 희망을 나누는 삶을 사십시오.

:: 이 표를 사용하시기 전에 ::

✚ 이 표는 4차원 영성의 4가지 변화(생각, 믿음, 꿈, 말)의 실행력을 높여주는 강력한 도구입니다.

✚ 한 주에 한 가지씩의 지침을 실천하십시오. 매일 저녁에 하루를 돌아보며, 실행여부에 따라 ○ △ × 로 체크해 보십시오.

✚ 1개월 혹은 4개월 뒤에 놀라운 변화를 눈으로 확인할 수 있습니다.

○ : 변화를 위해서 오늘 하루 동안 1회 이상 실천했다.

△ : 시도는 했지만, 생각 만큼 잘되지 않았다.

× : 실천을 잘 하지 못했다.

4차원의 꿈 실행점검표

오늘 당신의 4차원 영적세계는 어떠하셨습니까?

4차원의 꿈을 바꾸면, 3차원의 인생이 바뀐다!

꿈을 바꾸라!

1. 하나님이 내게 크고 비밀한 일을 보여주실 것을 기대하였다.
   - 하나님이 나에게 주실 꿈- (　　), (　　)을 기대하면서 기록하십시오.
2. 구체적인 목표를 세워 종이에 기록하고서 지속적으로 읽어 보았다.
   - 자신의 목표를 종이에 써서 큰 소리로 (　　)회 이상 읽어보십시오.
3. 꿈의 성취를 믿고 성령님과 동행하며 그와 관련된 일을 하였다.
   - 꿈과 관련된 일을 위해 (　　)시간을 할애하십시오.
4. 내 맘속에 희망을 점검하고서 감사하는 마음을 가졌다.
   - 감사의 기도시간을 드리면서 희망의 꿈을 잃지마십시오.

꿈

"묵시가 없으면 백성이 방자히 행하거니와 율법을 지키는 자는 복이 있느니라" (잠언 29:18)

주	실행지침	일	월	화	수	목	금	토
1주	하나님이 내게 크고 비밀한 일을 보여주실 것을 기대하였다							
2주	구체적인 목표를 세워 종이에 기록하고서 지속적으로 읽어 보았다							
3주	꿈의 성취를 믿고 성령님과 동행하며그와 관련된 일을 하였다							
4주	내 맘속에 희망을 점검하고서 감사하는 마음을 가졌다							

당신의 4차원의 말, 이렇게 바꾸라

④ 말

❶ 희망의 말씀을 입술 밖으로 선포하라!

❷ 말로 믿음을 풀어 놓으라

❸ 창조적이고 성공적인 말을 하라

❹ 항상 천국의 언어로 통역해서 말하라!

당신안의 4차원 영적세계를 바꾸라

4장 말

당신의 4차원의 말, 이렇게 바꾸라

"죽고 사는 것이 혀의 권세에 달렸나니 혀를 쓰기 좋아하는 자는 그 열매를 먹으리라"

(잠언 18:21)

말은 하나님의 창조사역에 있어 매우 중요한 요소였습니다. 창조의 계획이 세워졌지만 하나님이 말씀하셔야만 보이는 현실로 나타났습니다. 이처럼 하나님의 말씀은 창조력이 있습니다. 따라서 하나님의 형상을 닮은 사람은 하나님의 형상 중 말의 창조력도 일부 가지고 창조되었습니다. 그래서 하나님처럼 완벽하지는 않지만 사람의 말에도 창조력이 있습니다. 부정적인 말을 하면 당연히 부정적인 요소들이 자라납니다. 반면 하나님의 능력을 힘입어 긍정적이고 창조적이며 생산적인 말을 하면 말한 그대로 긍정적이며 창조적인 환경들이 나타나게 됩니다. 말의 중요성을 온전히 깨닫고 있어야 언어가 바꾸어지기 시작합니다. 말은 사람에게 상처를 주기도 하고 사람의 상처를 치료하기도 합니다. 그렇기 때문에 우리는 말이 얼마나 중요한지를 분명히 알아야 합니다.

말 한마디는 사람을 살리기도 죽일 수도 있는 능력을 가진 삶의 중요한 요소입니다. 성경은 곳곳에 말의 중요성을 강조하고 있습니다. 잠언 18장 21절은 "죽고 사는 것이 혀의 권세에 달렸나니 혀를 쓰기 좋아하는 자는 그 열매를 먹으리라"고 말씀하고 있으며, 야고보서 3장 6절은 "혀는 곧 불이요 불의의 세계라 혀는 우리 지체 중에서 온 몸을 더럽히고 생의 바퀴를 불사르나니 그 사르는 것이 지옥 불에서 나느니라"고 했고, 8절은 "혀는 능히 길들일 사람이 없나니 쉬지 아니하는 악이요 죽이는 독이 가득한 것이라"고 말씀하고 있습니다. 칼은 한번에 한사람만 죽일 수 있지만 말은 칼날보다 더 강하고 핵폭탄과 같아서 순식간에 여러 사람을 죽일 수도 있는 무기가 될 수도 있습니다.

말은 부메랑처럼 다시 돌아온다

말은 부메랑처럼 자신에게 다시 돌아옵니다. 입에서 나간 말은 이웃에게 영향을 미칠 뿐만 아니라 결국에 다시 돌아와 자신에게도 동일한 영향을 미치기 때문에 대단히 중요한 것입니다.

어느 날 레오나르도 다빈치는 매우 중요한 그림을 그리고 있었습니다. 그런데 화실을 찾아온 어린아이들이 이곳저곳을 뛰어다니다가 그만 물감통을 넘어뜨리고 말았습니다. 화가 난 그는 당장 나가라고 소리 질렀습니다. 아이들은 너무 놀란 나머지 울면서 화실을 빠져나갔습니다. 다빈치는 다시 붓을 들고 그림을 그렸습니다. 그런데 이상하게도 그림이 그려지지 않는 것이었습니다. 아무리 노력해도 붓 한번 까딱할 수 없게 되었습니다. 시간이 지나서야 그는 자신의 문제를 깨닫게 되었습니다. 울면서 화실을 빠져나간 어린아이들을 다시 불러왔습니다. 그리고 그 아이들에게 자신이 지나쳤음을 정중하게 사과를 했습니다. 어린아이들의 얼굴에 다시 웃음이 피어났고, 그리고 나서야 그는 다시 그림이 그려지기 시작했습니다.

이처럼 말은 이웃에게도 자신에게도 동일한 영향을 미칩니다. 성경에도 "미련한 자는 교만하여 입으로 매를 자청하고 지혜로운 자는 입술로 스스로 보전하느니라."(잠 14:3) "사람은 입의 열매로 인하여 복록(福祿)에 족하며 그 손의 행하는 대로 자기가 받느니라."(잠 12:14) 라고 분명하게 지적하고 있습니다.

말은 성령의 능력과 말씀에 사로잡혀야 한다

말은 능력이기 때문에 관리되고 다스림을 받아야 합니다. 가장 좋은 스승은 성령님이십니다. 성령님께 민감하게 반응하고 중요한 시점에서 무슨 말을 어떻게 해야 할지를 도움을 받는다면 실수가 적을 것입니다. 말을 하더라도 사람을 살리는 말을 하고 축복과 칭찬의 말을 하는 것이 하나님이 기뻐하는 언어 습관입니다.

그리고 말 한 마디가 복과 화를 가져다주고 더욱이 말 한 마디가 언젠가 하나님 앞에서 헤아림을 받게 되는 것이라면, 지혜로운 자는 당연히 말을 적게 하게 될 것입니다. 왜냐면 인간 모두는 그가 누구이든지 간에 말에 실수가 많을 수밖에 없기 때문입니다. "혀는 능히 길들일 사람이 없다(야 3:8)"라고 성경은 가르치고 있습니다. 그렇다면 가능하면 입을 다물고 있는 편이 훨씬 지혜로운 것이고, 말을 적게 하는 것이 참 평안을 누리는 길일 것입니다.

능력 있는 말은 성령과 말씀 그리고 기도를 함께 해야 얻을 수 있습니다. 그리고 그것은 하나님 안에 있는 4차원적인 말입니다. 성령과 함께 하는 언어생활은 창조적이고 생산적인 능력을 3차원에 나타내 줍니다. 이제 다음에서 제시하는 4차원의 영적인 언어를 사용하십시오. 천국언어로 생활하는 당신의 인생은 이미 놀라운 기적이 일어나고 있을 것입니다.

1. 희망의 말씀을 입술 밖으로 선포하라!

말로 '할 수 있다' 는 긍정적인 생각을 풀어놓으십시오.
또한 자주 성경을 암기하고, 그 약속의 말씀을 그대로 말하십시오.

우리는 흔히 "어려워 죽겠다, 힘들어 못 살겠다, 도저히 다시 일어설 힘이 없다"는 말을 주위에서 많이 듣습니다. 물론 우리의 현실이 참으로 어려운 것은 사실입니다. 너무나 큰 좌절감으로 인해 그렇게 말할 수 있습니다. 그런데 이를 가만히 듣고 있으면, 마치 이 땅의 수많은 사람들이 스스로 '할 수 없다'는 병에 걸린 것처럼 보입니다. 이들은 부정적인 말로 자신을 더욱 얽어매고 있는 것입니다.

이처럼 자신을 상실하고 '할 수 없다'는 병에 걸린 사람은 정신적인 죽음에 이르는 병을 앓고 있는 사람입니다. 그 때문에 이런 사람은 아무것도 할 수 없습니다.

우리는 '대수롭지 않은 말 한마디가 뭐 그리 큰 영향력이 있겠는가'라고 생각하기 쉽습니다. 하지만 사실은 그렇지가 않습니다. 입술에서 나오는 말 한마디가 사람을 죽고 살게 하는 권세를 갖고 있는 것입니다.

이 때문에 '할 수 없다'는 병에 걸려 무엇이든지 할 수 없다고 말하는 사람은 창조적인 역사를 체험할 수 없습니다. 오늘날 하나님께서는 할 수 없다고 말하는 사람을 사용하시지 않습니다. 우리가 할 수 없다고 말하면서 하나님을 원망하며 불평하고 있다면 우리는 결국 이 극심한 고난의 상태에서 빠져 나오지 못합니다. 따라서 더 이상 새로운 삶을 찾아 살아갈 수 없는 것입니다.

그러므로 우리는 '할 수 없다'와 같은 부정적인 말을 하지 말아야 합니다. 천지와 만물을 지으신 하나님께서 우리와 함께 하시고, 십자가에서 죄와 질병과 저주를 다 청산하신 예수님이 계시고 또 보혜사 성령님께서 우리와 함께 계시는데, 왜 할 수 없단 말입니까? 왜 이 고난과 시련에서 일어설 수 없다고 부정적인 말을 내뱉고 있습니까? 예수님께서 말씀하십니다.

"할 수 있거든이 무슨 말이냐 믿는 자에게는 능치 못할 일이 없느니라."(막 9:23)

그러므로 우리는 매일같이 '할 수 있다'는 긍정적인 선언을 해야 합니다.

많은 사람들이 제게 "조 목사님, 어떻게 그렇게 활기차게 목회하십니까? 세계를 움직이는 비결이 무엇입니까?"하고 묻습니다. 저는 그럴 때마다 이 창조적인 선언을 통한 하나님의 역사에 대해 말해 줍니다.

그럼에도 불구하고 선포하라

제가 최자실 목사님과 교회를 세우던 때만 해도 우리나라는 가난하기 이를 데 없는 나라였습니다. 그렇기 때문에 하루에 세 끼를 다 먹는 날이 그리 많지 않았습니다. 쌀밥은커녕 고구마나 감자 같은 것으로라도 하루 세 끼를 때울 수 있다면 그야말로 다행이었습니다.

교인들의 수는 하루가 다르게 늘어갔으며 많은 기사와 이적이 일어났지만, 여전히 경제적으로는 어려웠습니다. 겨우 돈을 얻어 굴레방 다리 언덕배기에 조그마한 셋방 두 개를 얻어 하나는 내 방으로, 다른 하나는 최자실 당시 전도사님 식구방으로 사용하고 있었습니다. 끼니 걱정은 여전했습니다. 선교부는 물론 아무도 도와주는 사람이 없었습니다. 어떤 날은 식탁에 고구마가 올라 올 때가 있었습니다. 쌀 살 돈이 없어 최자실 전도사님이 사온 고구마였습니다. 고구마 다섯 개로 다섯 식구가 하나씩 나누어 먹고 수돗물로 배를 채우기도 했습니다. 그런 날 밤이면 아무도 입을 열지 않고 제각기 이불 속에서 초저녁부터 잠을 청해야 했습니다. 최자실 전도사님은 예외 없이 새벽까지 눈물을 흘리며 기도하다가 통금 해제와 동시에 교회로 나가서 소리 높여 방언기도로 하나님께 하소연하곤 했습니다. 고구마로 끼니를 때우는 것도 한 두 끼지, 하루 세 끼를 고구마만 먹다보니 힘이 빠질 정도였습니다.

그러던 어느 날이었습니다. 제 마음 속에 믿음이 불쑥 오르는 것 같았습니다. 제 안에 계신 성령님의 믿음을 내 입으로 선포하고 싶은 생각이 들었습니다. 저는 거울 앞에 섰습니다. 두 주먹을 불끈 쥐고 제 자신을 노려보면서 큰 소리로 외쳤습니다.

"조용기, 너는 가난하지 않다!"

"조용기, 너는 부자다!"

"우리 교회는 다음 해에 천 명이 된다."

"조용기, 너는 과거에 폐병환자였다. 그러나 보라, 지금은 건강하지 않는가?"

"조용기, 너의 믿음은 산을 옮길 만하다. 믿는 자에게는 능치 못할 일이 없다."

문 밖에서 인기척이 느껴졌습니다. 문을 열고 내다보니 최자실 전도사님이셨습니다. 눈을 마주치지 못할 정도로 민망하고 어색했습니다. 그러나 긍정적인 말로 제 자신에게 늘 용기를 주는 일을 계속 반복했고 이렇게 하다 보니 하나님께서 그 말의 능력과 권세를 주심으로 긍정적이고 창조적인 역사가 일어나 오늘날 세계 최대의 교회를 이루게 된 것입니다. 그때 만약 제가 가난한 현실과 빈약한 교회 성도 수를 보고 좌절하고만 있었다면, "안 된다. 못 한다. 할 수 없다"는 말만 마냥 되풀이하고 있었다면, 저는 실패한 사람으로 남았을 것입니다.

요즘도 저는 잠자리에 들어가기 전에 "나는 할 수 있다. 나는 그리스도 안에서 복 받은 사람이다. 나는 성공자다"라고 말합니다. 또 아침에 일어나서도 "나는 하나님께서 능력을 주셔서 성공할 수 있다"고 말합니다. 하나님께서 긍정적이고 창조적인 선언에 능력을 부어 주시고, 큰 역사를 이루어 주실 것을 굳게 믿고 말입니다.

그러므로 여러분, 이제부터 말을 바꾸십시오. "도저히 안 된다. 할 수 없다"는 부정적인 말은 아예 여러분의 사전에서 지워 버리십시오. 그리고 대신에 "나는 할 수 있다. 누가 뭐래도 나는 다시 일어설 것이다."라는 긍정적인 말로 바꾸십시오. 이로써 모든 얽매인 것들을 다 풀어 버리고 여러분의 삶을 온통 적극적으로 생산적이고 창조적인 말들로 가득 채우십시오. 이렇게 계속 선언하고 담대히 나가면 하나님께서 이 말에 능력을 부어 주셔서 여러분의 삶 가운데 놀라운 일을 일으켜 주십니다.

절망적인 환경을 좋은 환경으로 변화시켜 주십니다. 우리의 삶이 변하고, 이 민족이 사는 역사가 일어날 것입니다.

2. 말로 믿음을 풀어 놓으라

말은 환경을 이기는 영적전쟁의 중요한 도구입니다. 말로 믿음을 풀어놓으십시오. 계속해서 입술로 반복해서 시인하십시오. 우리의 환경에 놀라운 변화를 가져옵니다.

인도 선교사로 잘 알려진 스텐리 존스 목사님은 긍정적인 믿음을 가지신 분으로 유명합니다. 그는 유명한 저술가요 선교사요 복음 전도자였습니다. 존스 목사님은 모든 일을 긍정적인 마음으로 받아들여 건강하게 살았으나 89세가 가까웠을 때 갑자기 중풍으로 쓰러졌습니다. 존스 목사님은 수개월 동안 자리에서 일어나지 못하고 말도 하지 못했습니다. 그는 간호사에게 부탁했습니다. 아침이든 낮이든 자신을 보면 "나사렛 예수 이름으로 일어나 걸으라."라고 말해 달라고 말입니다. 목사님 자신은 온 몸이 마비되었기 때문에 하고 싶은 말을 할 수 없었습니다. 그래서 그 믿음의 말을 간호사가 하도록 부탁하였던 것 입니다. 그래서 간호사들은 존스 목사님을 보면 언제나 "나사렛 예수 이름으로 명하노니 일어나 걸으라."고 말해주었고, 그러면 목사님은 "아멘!"으로 대답을 했습니다.

이 일을 아는 사람들은 모두 웃었습니다. 그러나 존스 목사님은 입으로 말하는 말의 힘이 얼마나 크다는 것을 아시는 분이었습니다. 그는 아직 완전히 낫지는 않았지만 인도의 히말라야 산지로 휴양을 갔습니다. 그곳에서 가서도 목사님은 계속해서 간호사들과 함께 힘을 합쳐서 "나사렛 예수 이름으로 명하노니 일어나 걸으라."고 되풀이하여 말했습니다. 그렇게 지낸 얼마 후였습니다. 89세 된 노인의 몸으로 존스 목사님은 중풍에서 완전히 나았습니다. 그것은 입술의 고백의 힘이었습니다. 말로 믿음을 풀어놓았기에 가능했던 것입니다. 결국 병든 3차원의 현실을 4차원의 요소인 말로 바꾸어 놓았습니다.

이처럼 하나님께서 응답하시리라는 꿈과 믿음을 갖고 입술로 고백하고, 그 믿음을 사람들과 나누면 그 고백하는 말씀은 어둠을 밝히는 빛이요, 죽은 자를 살리는 생명이요, 무를 유로 변화시키는 기적이 일어나게 만들어 주는 것입니다. 그러니 우리가 꿈을 가지고 믿음으로 기도하며 입술로 시인한다는 것이 얼마나 중요합니까? 우리가 입술로 시인하는 것은 우리의 믿음을 풀어 놓는 것입니다. 우리의 삶에 위대한 창조적 변화를 가져오게 하는 능력인 것입니다.

입술로 믿음을 고백하라

우리는 우리가 구원받았다는 사실을 입술로 시인해야 합니다. 로마서 10장 9절에서 10절은 "네가 만일 네 입으로 예수를 주로 시인하며 또 하나님께서 그를 죽은 자 가운데서 살리신 것을 네 마음에 믿으면 구원을 얻으리니 사람이 마음으로 믿어 의에 이르고 입으로 시인하여 구원에 이르느니라."고 말씀하고 있습니다. 우리가 아무리 마음속으로 예수님을 믿는다 하여도 입술로 시인하지 않으면 구원에 이르지 않습니다. "저는 예수님을 구주로 믿습니다."라고 입으로 말씀이 나가야 되는 것입니다. 말씀이 곧 창조적인 역사를 베풀어 주기 때문입니다.

마태복음 10장 32절에서 33절도 "누구든지 사람 앞에서 나를 시인하면 나도 하늘에 계신 내 아버지 앞에서 저를 시인할 것이요, 누구든지 사람 앞에서 나를 부인하면 나도 하늘에 계신 내 아버지 앞에서 저를 부인하리라"고 말씀하셨습니다. 시인하고 부인하는 것은 입술의 말입니다. 죽고 사는 권세가 혀에 있다는 것을 우리는 알아야 합니다.

우리 교회 정유선 성도의 간증을 들어 보십시오. 정 성도는 몇해 전 갑자기 쓰러졌습니다. 감기인줄 알고 시름시름 앓던 것이 갑자기 심장이 심하게 요동치듯이 뛰고 어지러워지면서 혼수상태에 빠졌습니다. 9일만에 의식을 회복했는데 진단결과 임파선 암 말기로 판정됐습니다. 정 성도는 그동안 하나님 앞에 지은 죄를 눈물로 회개하고 "다시 살려주신다면 주님만 위해서 살겠습니다."라고 간구했습니다. 항암치료를 받았지만 악화되어서 급기야 의사들은 가족을 불러서 장례 치를 준비를 하라고 통보했습니다. 그러나 이 자매님은 끝까지 포기하지 않았습니다. 끝까지 포기하지 않고 기다리는 굳센 믿음의 신앙을 가지고 계셨던 것입니다. 설교 테이프를 병원에서 틀어놓고 계속 들으며 회개하고 기도했습니다. 한번은 듣고 있던 테이프의 설교 중에 큰 소리로 "사망아 너의 쏘는 것이 어디냐. 사망아 너의 이기는 것이 어디 있느냐"고 선포했는데 그 말씀이 마음속에 확 들어오더라는 것입니다. 그는 그 말씀을 받아들이고 "맞습니다. 내 속에 들어 있는 사망아! 너의 이기는 것이 어디 있느냐? 사망아 너의 쏘는 것이 어디에 있느냐? 나는 예수 이름으로 나았다. 예수님의 보혈로 승리했다. 사망아 물러가라!"하며 선포하고 담대하게 사망과 싸우기 시작했습니다. 간호사가 주사 바늘을 꽂을 때마다 "예수님이 채찍에 맞음으로 나는 나았다!"라고 입술로 고백했습니다. 그리고 얼마 후 우리 교회 축복성회 때 저에게 안수기도를 받았습니다. 그때 그녀는 성령의 뜨거운 역사하심으로 온몸이 치료되는 것을 느끼고 감격해서 병원으로 돌아갔습니다. 다시 진료를 받고 검진을 하니까 임파선 암은 온데 간 데 없어졌다고 합니다. 의사들도 놀라며 기적이라고 했습니다. 믿음이 없던 남편과 시댁 전체가 회개하고 예수님을 믿게 되는 놀라운 기적이 일어났습니다.

입술의 고백은 이처럼 놀랍습니다. 신앙인이 믿지 않는 사람과 다른 것은 사망과 싸울 수 있다는 것입니다. 안 믿는 사람은 싸울 수 있는 무기가 없습니다. 그러나 우리에게는 싸울 수 있는 무기가 있습니다. 하나님의 말씀이 바로 싸울 수 있는 무기입니다. 말씀은 성령의 검이 되는 것입니다. 하나님의 뜻, 하나님의 말씀을 우리가 받아들여서 믿음으로 입술로 고백하고 싸우면 승리하게 되는 것입니다.

믿음으로 명령하라

기도제목을 놓고서 오랫동안 기도하는 가운데, 응답의 확신이 마음에 들어오고 이미 받았다고 생각이 될 때 없는 것을 있는 것처럼 말해야 합니다.

"하나님 아버지여! 이미 고쳐주셨으니 감사합니다. 다 낫게 하여 주옵소서. 이미 치료해 주심을 감사합니다. 이미 우리 가족들이 구원을 받았으니 빨리 구원하여 주옵소서."

그리고 그 다음으로 해야 할 일이 있습니다. 그렇게 믿음이 마음속에 들어오고 없는 것을 있는 것 같이 말할 수 있게 되면 그 다음에는 산을 향해서 명령해야 되는 것입니다.

"태산아 물러가라!"

"병은 물러가라!"

"불신앙은 물러가라!"

"저주는 물러가라!"

"가난은 물러가라!"

최종적으로 역사가 일어나는 것은 명령을 할 때 일어납니다. 하나님께서 "빛이 있으라!" 명령하시니 빛이 생겨났습니다. "궁창아, 생겨나라!" 명령하시니 궁창이 생겼습니다. "땅위에 있는 물은 한곳으로 모여 뭍이

드러나게 하라!" 명령하시니 육지가 생겨났습니다. "땅에서 푸른 풀과 온갖 식물과 과일나무가 자라나거라!" 명령하시니 그대로 되었습니다.

예수님은 언제나 명령하심으로 최후의 역사를 이루셨습니다.

"네 죄 사함을 받았느니라", "네 침상을 걸머지고 돌아가라", "귀신아, 나가라", "나사로야, 나오라"

언제나 명령을 통해서 창조의 역사가 이루어지는 것입니다. 애걸복걸한다고 창조의 역사가 일어나는 것이 아닙니다. 그러므로 여러분, 없는 것을 있는 것같이 확신하고 생각하고 믿었으면 여러분 앞에 놓인 문제의 태산을 향해 명령하십시오.

"병은 물러갈찌어다!"

"우리 식구들은 빨리 교회에 나올찌어다!"

"직장은 생겨날찌어다!"

"축복은 다가올찌어다!"

"영광은 다가올찌어다!"

우리가 믿은 순간과 그것이 나타난 순간은 시간적으로 차이가 있을 수 있습니다. 그러나 그 시간에 관계없이 이미 시간과 공간을 초월해서 마음에 믿고, 믿은 것을 시인하고 명령하는 사람은 그것을 반드시 이루게 되는 것입니다.

우리는 지금 그냥 주어진 삶을 살고 있는 것이 아닙니다. 보이지 않지만 우리는 매우 강도 높은 영적전쟁을 날마다 시시각각 치루고 있습니다. 베드로전서 5장 8절에서 9절을 보면, "근신하라 깨어라 너희 대적 마귀가 우는 사자 같이 두루 다니며 삼킬 자를 찾나니 너희는 믿음을 굳게 하여 저를 대적하라 이는 세상에 있는 너희 형제들도 동일한 고난을 당하는 줄을 앎이니라."

성경의 말씀대로 마귀는 아주 갖가지 수단과 방법을 모두 동원하여 그들이 삼킬 먹이를 찾고 있습니다. 그러나 우리는 결코 그들의 먹이가 될 수 없습니다. 왜냐하면 우리를 피 값으로 대신하여 사신 예수 그리스도가 계시기 때문입니다. 더 이상 물러설 이유가 없습니다. 이제 주님의 말씀을 가지고 우리의 입으로 직접 선포하며 영적전쟁에서 승리합시다.

3. 창조적이고 성공적인 말을 하라

말은 사람을 죽이기도 하고 살리기도 합니다. 상대방에게 감동을, 기쁨을, 성공을 불러오는 창조적인 말을 하도록 힘쓰십시오.

우리는 한마디의 말을 하더라도 상대방에게 감동을, 기쁨을, 성공을 불러오는 창조적인 말을 하도록 힘써야 합니다. 말 한대로 이루어지는 능력이 있기 때문입니다.

어느 날 미국의 유명한 적극적 사고 훈련가인 지그 지글러 박사가 뉴욕의 지하도를 막 건너려 내려가는데 계단 한 켠에서 거지 하나가 연필을 팔고 있었습니다. 지글러 박사도 다른 사람들처럼 돈만 1불 주고 연필을 받지 않고 가다가 다시 되돌아와서 거지에게 말했습니다.

"아까 드린 1불 대가로 연필을 주세요."

거지는 하는 수없이 연필을 주었습니다. 연필을 받으며 박사는 이렇게 말했습니다.

"당신 직업도 나와 같은 사업가요. 당신은 더 이상 거지가 아닙니다."

이 거지의 인생은 지글러 박사의 이 말 한마디로 달라졌습니다. 박사는 그 사람은 길거리에서 1불을 받고 연필 한 자루씩 주는 거지가 아닌 당당한 한 사업가라고 말해준 것입니다. 박사의 말 한마디는 그 사람의 마음 속에 큰 변화를 일으켰고 그 사람은 훗날 큰 사업가가 되었습니다.

자기의 자화상이 달라졌습니다. 사업가라는 용기가 생겼습니다. 그는 그날 집으로 돌아가면서도 중얼거렸습니다.

"나는 거지가 아니라 사업가다. 나는 사업가다. 연필을 파는 사업가다."

그의 꿈이 달라지고, 자화상도 달라지고, 믿음도 달라지자 그는 큰 사업가가 될 수 있게 되었습니다. 그리고 후에 지그 지글러 박사를 찾아왔습니다.

"당신의 말 한마디가 나를 변화시켰습니다. 다른 사람은 연필을 주던 말던 그저 돈 1불만 건내 주고 가기 때문에 나는 그게 나의 전부인 줄 알았습니다. 그래서 '나는 늘 거지구나' 라는 생각을 가지고 있었는데 당신은 연필을 받아가면서 '당신도 나와 똑같은 사업가' 라고 말해 주었습니다. 그 한 마디의 말이 내 인생을 이렇게 바꾸어 놓았습니다."

이처럼 입술에서 나오는 말은 우리의 인생을 변화시킵니다. 말 한마디가 심지어는 우리가 흔히 먹는 물에도 영향을 준다고 합니다. 일본의 파동학자인 에모토 마사로는 〈물은 답을 알고 있다〉라는 그의 책에서 물도 사랑에 반응한다는 것을 보여주었습니다.

우리가 물을 향해 심한 모욕의 말을 하면 물의 결정체가 흉하게 깨져 그 모양이 형편없이 변합니다. 혹 그 물에 '악마'라는 글씨를 써서 붙이면 결정체 가운데 보기 흉한 구멍이 뚫립니다. 그런데 물을 보고 "고맙습니다. 감사합니다."라는 긍정적인 말을 하면 물의 결정체는 아름다운 육각형을 띠고, 나아가 "너를 사랑해!"라고 물을 향해 말하면 가장 아름다운 결정체로 물의 분자가 변한다는 것입니다. 사랑의 주파수가 물분자에 영향을 미쳤기 때문입니다.

이처럼 물도 사랑을 받으면 생기가 나고 아름다워집니다. 하물며 사람의 인체는 60%가 물로 형성되었는데 어떻겠습니까? 그럼에도 불구하고 서로를 미워하고 저주하며 분노의 마음을 품으면 인체에 있는 물분자가 흉하게 일그러져 이상한 모양을 띠며 파괴적이 되어서 온갖 병으로 나타나는 것입니다. 그러나 우리가 서로 감사하고 칭찬하며 또 사랑하면서 서로를 격려하고 긍정적이며 적극적인 말을 나누면 우리 몸의 60%나 되는 물이 아름다운 육각형의 결정체를 만들어 건강과 생명이 충만해지는 것입니다.

이는 우리가 서로 사랑하며 사랑의 말을 나누는 것이 우리의 생명과 건강을 훨씬 더 좋게 만들어 준다는 것을 알려줍니다. 따라서 이제부터는 생명을 살리는 말을 하도록 힘쓰십시오.

의인은 신중히 생각하여 경우에 합당한 말, 지혜롭고 유익한 말, 사람을 살리는 말만을 해야 합니다. 의인의 혀는 순수하게 제련되어 불순물이 전혀 섞이지 않은 최상품의 순은처럼 가치가 있고 그 입술에서는 듣는 이로 하여금 생명길로 가도록 깨우쳐 주는 생명의 말이 나와야 합니다. 말은 결과를 낳기 때문입니다.

4. 항상 천국의 언어로 통역해서 말하라!

사랑과 축복이 담긴 말은 사람을 변화시키고 환경을 복되게 합니다. 천국 언어인 축복과 사랑의 말을 하면 성령이 그 혀를 통해 기적을 베풀어 주십니다.

요즘 젊은이들의 언어생활은 마치 다른 나라 말을 쓰는 것과도 같습니다. 선생님을 '샘'이라 말합니다. 정말 좋다, 최고라는 의미는 '짱'이라 하여 얼굴이 예쁘면 '얼짱', 몸이 좋으면 '몸짱'이라고 말합니다. 또한 반갑다는 말은 '방가'라 하는 등, 처음 듣는 사람들은 그 말이 무슨 뜻인지 알 수조차 없습니다. '썰렁하다'는 말은 재미없다는 뜻이고 '얄딱꾸리하다'는 말은 이상하다라는 뜻입니다. 또 '열받는다, 뚜껑이 열린다'는 말은 화가 난다는 말입니다. '초딩, 중딩, 고딩'은 초등학교, 중학교,

고등학교를 가리키는 말이랍니다. 저는 젊은이들이 사용하는 이런 용어를 알아들을 수 없습니다. 젊은 사람들 끼리만의 의사소통 용어로 컴퓨터나 핸드폰 문자를 보내는 것은 더욱 기가 막힙니다. 글자는 하나도 없고 기호나 그림 같은 것을 서로 주고받는데, 우리가 보면 무슨 뜻의 글인지 도무지 알 수가 없습니다. 그런데도 젊은이들끼리는 서로 잘 통합니다. 그들끼리는 소통되는 그들만의 언어이기 때문입니다.

사랑과 축복의 말

이와 마찬가지로 천국 시민들끼리 통하는 언어가 있습니다. 우리의 정체성을 분명하게 하늘나라 말로 늘 말해야 합니다. 우리가 새로운 신분이 되었다는 것을 증거하는 것은 하늘나라 말입니다. 하늘나라 말은 세상 사람들이 이해하지 못합니다. 그러나 예수님을 믿는 우리들은 다 알아듣습니다. 믿음 안에 있는 우리는 이처럼 모두 하늘나라 방언을 말할 줄 알아야 합니다. 왜냐하면 천국의 언어를 말하는 나는 천국 방식의 삶을 살게 되기 때문입니다. 우리의 혀가 온 몸을 다스리기 때문에 우리가 무슨 말을 하는가에 따라 우리의 몸과 생활이 달라지기 때문입니다.

사랑과 축복이 담긴 말은 사람을 변화시키고 환경을 복되게 합니다. 그러므로 우리는 어떠한 형편에 처하든지 불평이나 저주의 말을 해서는 안됩니다. 그럴 때일수록 천국 언어인 축복과 사랑의 말을 하면 성령이 그 혀를 통해 기적을 베풀어 주십니다.

우리 입술의 말이 나가서 우리의 인생을 창조합니다. 이는 마치 누에가 입에서 나오는 실로 자기가 들어갈 고치를 만드는 것과 같습니다. 우리 입술의 고백이 우리가 살아갈 환경을 만들어 가는 것입니다. 그러므로 무슨 말을 하는가를 항상 조심해야 합니다. 하나님의 성령이 임하시면 성령의 역사하심으로 말하게 되어 방언으로 말하기 시작합니다. 그러면 놀라운 일이 일어납니다. 그 말은 성령께서 주장하셨기 때문입니다. 그러므로 언제나 우리는 성령이 말하게 하심을 따라 천국 방언으로 말하는 그리스도인이 되어야 할 것입니다.

감사의 말, 신앙 고백의 말

우리가 늘 원망과 불평과 탄식이 담긴 인생을 산다면 그 인생은 스스로 파멸하고 말 것입니다. 성경은 "있는 자에게는 더 주고 없는 자에게는 있는 것까지 빼앗는다"고 말씀하고 있습니다. 우리가 입으로 없다고 시인하면 하나님께서는 있는 것조차도 빼앗아 버리신다는 말씀입니다. 그러나 우리가 있는 것을 생각하고 하나님께 감사하고 찬양하면 하나님께서는 더욱 좋은 것으로 채우십니다.

시편 22편 3절은 "이스라엘의 찬송 중에 거하시는 주여 주는 거룩하시니이다"라고 노래하고 있습니다. 하나님께서 임하시면 하나님 앞에서 모든 환난은 사라지고 승리가 다가오는 것입니다. 그러므로 성경에는 "범사에 감사하라"고 말씀하고 있는 것입니다.

우리가 입으로 말한다는 것은 그 말하는 것이 실제 현실로 나타나게 하는 능력이 있기에 매우 중요합니다. 확신을 갖고 과감한 꿈을 입술로 고백해야 합니다. 우리는 십자가를 바라보고 복음에 대한 꿈과 복 받은 삶에 대한 꿈을 과감하게 받아들여야 합니다. 그리고 긍정적이고 확실한 신앙고백을 해야 합니다.

"나는 예수 믿고 용서와 의를 받았습니다."

"그리스도로 말미암아 마귀가 내 속에서 쫓겨나가고 천국과 성령이 내 속에 들어와 계십니다."

"하나님의 은총으로 마음의 병도 고침을 받고, 육체의 질병도 고침을 받았습니다."

이렇게 구원의 복음과 삶에 대한 축복을 통해 푸른 초장과 쉴만한 물가에서 생명을 얻되 넘치게 얻어 살아갈 수 있다는 것은 믿음을 현실로 바꿀 때 가능한 것입니다.

믿음은 존재하는 실제지만 말로 선포하고 행동할 때 이루어지는 것입니다. 우리에게 고난이 와도 예수님께서 그 고난을 다 짊어지셨으며 나의 영혼과 범사가 잘 되리라는 십자가 보혈의 약속을 말하고 선포하면 고난을 이기는 힘을 얻는 것입니다. 우리가 세상에 살면서 시험과 환난과 고난을 당하는 것은 하나님께서 우리에게 복을 주시기 위해 그릇을 준비하신 것입니다. 지금 겪고 있는 현재의 고난도 마침내 우리가 받을 상급인 것입니다.

말은 하나님의 4차원 요소 중에서 현실에 가장 가까운 것입니다. 말은 다른 어떤 것보다도 현실 감각을 즉각 반영하고 있기 때문입니다. 사람의 말을 통해 그 사람의 생각과 믿음 그리고 꿈을 알 수 있습니다. 그래서 말이 4차원의 영적요소 중에서 가장 마지막을 장식하게 된 것입니다.

성경은 "네 입의 말로 네가 얽혔으며 네 입의 말로 인하여 잡히게 되었느니라."(잠 6:2)라고 말씀하고 있습니다.

말은 하나님의 심판의 대상이 됩니다. 그래서 말 한마디 한 마디는 매우 중요한 것입니다. 예수님께서 친히 "내가 너희에게 이르노니 사람이 무슨 무익한 말을 하든지 심판 날에 이에 대하여 심문을 받으리니 네 말로 의롭다 함을 받고 네 말로 정죄함을 받으리라"(마 12:36-37)고 말씀하셨습니다.

하나님은 말로 사람을 평가하시고, 심판 날에 의롭다함과 정죄함을 구분하는 열쇠로 삼으십니다. 하나님께서는 우리들의 모든 말을 아시고 기억하시고 심지어 소리 없는 독백과 생각의 언어도 아시고 기억하십니다. 그러므로 자신의 입술이 복된 입술이 되도록 하나님의 권세가 담긴 성경 말씀을 말의 기초로 삼아야 합니다. 믿음 가운데 창조적인 언어를 사용할 때 당신의 삶은 놀랍게 변화될 것입니다.

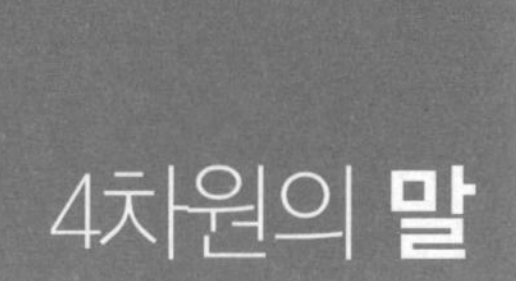

4차원의 말 이렇게 바꾸라

1. 희망의 말씀을 입술 밖으로 선포하라!

말로 '할 수 있다' 는 긍정적인 생각을 풀어놓으십시오.
또한 자주 성경을 암기하고, 그 약속의 말씀을 그대로 말하십시오.

2. 말로 믿음을 풀어 놓으라

말은 환경을 이기는 영적전쟁의 중요한 도구입니다. 말로 믿음을 풀어놓으십시오.
계속해서 입술로 반복해서 시인하십시오. 우리의 환경에 놀라운 변화를 가져옵니다.

3. 창조적이고 성공적인 말을 하라

말은 사람을 죽이기도 하고 살리기도 합니다.
상대방에게 감동을, 기쁨을, 성공을 불러오는 창조적인 말을 하도록 힘쓰십시오.

4. 항상 천국의 언어로 통역해서 말하라!

사랑과 축복이 담긴 말은 사람을 변화시키고 환경을 복되게 합니다.
천국 언어인 축복과 사랑의 말을 하면 성령이 그 혀를 통해 기적을 베풀어 주십니다.

:: 이 표를 사용하시기 전에 ::

- 이 표는 4차원 영성의 4가지 변화(생각, 믿음, 꿈, 말)의 실행력을 높여주는 강력한 도구입니다.
- 한 주에 한 가지씩의 지침을 실천하십시오. 매일 저녁에 하루를 돌아보며, 실행여부에 따라 ○ △ × 로 체크해 보십시오.
- 1개월 혹은 4개월 뒤에 놀라운 변화를 눈으로 확인할 수 있습니다.

○ : 변화를 위해서 오늘 하루 동안 1회 이상 실천했다.
△ : 시도는 했지만, 생각 만큼 잘되지 않았다.
× : 실천을 잘 하지 못했다.

4차원의 말 실행점검표

오늘 당신의 4차원 영적세계는 어떠하셨습니까?

4차원의 말을 바꾸면, 3차원의 인생이 바뀐다!

말을 바꾸라!

1. 거울을 보면서 나는 '~을 할 수 있어' 라고 말하였다.
   - '○ ○ ○ 야! 너는 (   )을 할 수 있어' 라고 (   )회 이상 말하십시오.
2. 기도제목을 하나님께서 이루어주실 것을 입술로 시인하였다.
   - 기도제목을 읽고서 "아멘" 으로 받아들이십시오.
3. 나의 언어습관을 의식적으로 고치려고 노력하였다.
   - 부정적인 말-(   ), (   )을 하지 않기를 다짐하십시오.
4. 오늘 2명 이상에게 격려와 축복의 말을 하였다.
   - ○ ○ ○와 ○ ○ ○에게 진심어린 칭찬과 축복의 말을 하십시오.

말

죽고 사는 것이 혀의 권세에 달렸나니 혀를 쓰기 좋아하는 자는 그 열매를 먹으리라 (잠언 18:21)

주	실행지침	일	월	화	수	목	금	토
1주	거울을 보면서 나는 '~을 할 수 있어' 라고 말하였다							
2주	기도제목을 하나님께서 이루어주실 것을 입술로 시인하였다							
3주	나의 언어습관을 의식적으로 고치려고 노력하였다							
4주	오늘 2명 이상에게 격려와 축복의 말을 하였다							

영성훈련 가운데 하나님을 만나라

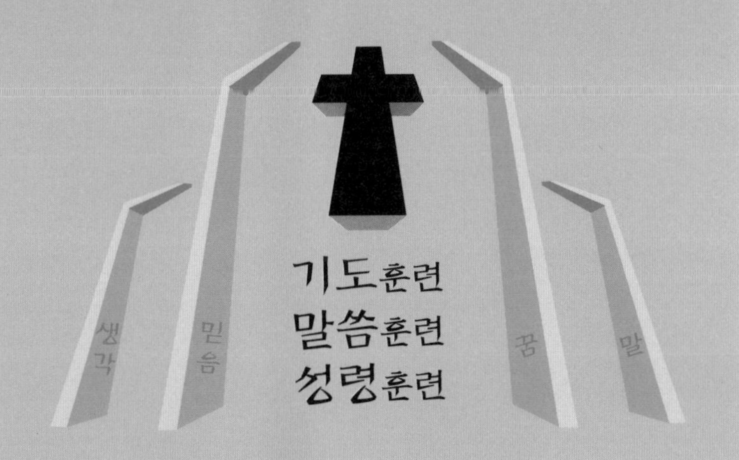

에필로그

4차원의 영성을 훈련하라

- 인생의 문제들, 4차원의 영성으로 대응하라
- 4차원 세계의 변화는 "영적 전쟁" 이다
- 당신의 삶에 하나님의 기적을 기대하라 그리고 체험하라

영성훈련 가운데 하나님을 만나라

5장 에필로그
4차원의 영성을 훈련하라

"우리의 씨름은 혈과 육에 대한 것이 아니요 정사와 권세와 이 어두움의 세상 주관자들과 하늘에 있는 악의 영들에게 대함이라" (에베소서 6:12)

지금까지 3차원의 인생을 지배하는 4차원의 영성과 그 4가지 영적 변화요소 – 생각 · 믿음 · 꿈 · 말 – 에 대해 차례로 살펴보았습니다. 지금 저는 이 글을 읽고 있는 당신의 소감이 궁금합니다. 지금 당신의 4차원 영적세계는 어떠하십니까?

영적변화에 대해 용기를 얻으셨습니까? 아니면 머리로는 알겠는데 막상 그대로 하려니 곤란하다는 생각이 들었습니까? '나 자신은 지금 이대로가 좋고, 변화하기 싫다' 라고 생각하실 지도 모르겠습니다. 그러나 분명한 것은 지금 이 순간에도 이 세상은 놀랄 만큼 빠르게 변하고 있으며, 여러분의 인생은 계속적으로 심각한 도전을 받고 있다는 사실입니다. 나는 가만히 있고자 하나, 사단의 세력은 끊임없이 우리를 공격하고 있는 것입니다.

삶에 여러 가지 도전이 다가올 때 사람들은 이렇게 생각하곤 합니다. "무엇 때문에 내가 이 고난을 당해야 하는가?" 또는 "왜 다른 사람은 안 그런데 나만 이런 고통을 당하는가, 왜 내게 이런 문제가 다가오는가?" 이러한 도전적 상황은 여러분들로 하여금 나름대로의 대응을 하도록 만듭니다. 이것을 이겨내지 못하면 내가 속한 모든 환경 속에서 종노릇하게 되기 때문입니다.

몇 해 전 필리핀에서 성회를 가졌을 때, 저는 대통령의 초청을 받아 면담을 하게 되었습니다. 그는 나라의 앞날을 걱정하며 이런 말을 했습니다. "조 목사님, 큰일 났습니다. 서구 문명이 필리핀으로 거침없이 밀려들어와 젊은 세대의 도덕적인 부패가 매우 심각합니다. 정부가 아무리 막으려고 노력해도 헛수고입니다. 임시방편으로 스포츠를 장려하여 젊은이들의 정신을 건전한 방향으로 유도하도록 애쓰고 있습니다."

그 말을 듣고 저는 말했습니다. "스포츠는 육체를 단련시켜줄지라도 마음까지 완전히 변화시키지는 못합니다. 사람의 마음을 변화시키는 것은 죽었다가 부활하신 예수 그리스도의 보혈의 능력과 성령의 권세밖에 없습니다. 필리핀 청년들과 국민 전체의 올바른 도덕 무장을 위해서는 예수님을 믿게 하고 성령을 받게 하는 도리밖에 없습니다. 그러니 대통령께서 이 나라에 신앙 운동을 일으키십시오."

집에 쳐진 거미줄을 없애기 위해서 거미줄만 걷어내는 것은 아무 소용이 없습니다. 계속 걷어 쳐도 근본적으로 거미를 잡아 없애지 않고서는 계속 생길 것이기 때문입니다. 이와 마찬가지로 아무리 사회 전반에 걸쳐 죄 짓는 자들을 잡기 위해 법을 많이 정하고, 여러 제도를 만든다고 하여도 사람들의 마음속이 근본적으로 바뀌지지 않는다면 소용없는 일입니다. 접근 방법을 달리해야 하는 것입니다. 사람은 마음의 영향을 받아 행동합니다. 그래서 마음을 어떻게 하느냐가 가장 중요합니다.

인생의 문제들, 4차원의 영성으로 대응하라!

실제로 영적인 안목이 있는 사람은 인생의 문제를 일반인들과 다르게 보고 다르게 대처합니다. 예를 들어, 어린 요셉이 형제들에 의해 애굽으로 팔려간 이야기를 우리는 잘 알고 있습니다. 이러한 요셉의 고통을 3차원의 시각에서 본다면 처절한 고통이고 절대절망으로 밖에 설명할 길이 없습니다. 거기에 요셉이 3차원의 시각으로 대응했다면 아마도 원망과 분노, 불타는 야망과 복수로 물든 인생을 살게 되었을 것입니다. 그러나 그는 영적으로 대응하는 안목이 있는 사람이었습니다. 요셉이 겪은 고난의 시간은 4차원의 시각으로 다시 볼 때, 오히려 하나님의 황금길이요 은총이요 축복이며 구원의 역사였음을 깨닫게 됩니다.

마찬가지로 우리도 3차원 인생의 문제를 똑같이 3차원적으로 풀려고 하면 패배의 길로 갈 수밖에 없습니다. 우리가 3차원 세계 속에서 감각을 통해 얻는 지식에만 의존하여 신앙생활을 하게 된다면 많은 어려움을 겪게 됩니다. 3차원의 세계에 속한 육신의 정욕, 안목의 정욕, 이 세상의 자랑, 인간적인 이성, 경험과 지식을 가지고 영적 신앙생활에 발을 들여 놓는다면 그것은 출발부터 잘못된 것으로 결국 악한 영의 세력에게 패배하게 될 것입니다. 그것은 하나님이 주신 것이 아니기 때문입니다.

우리는 4차원 세계에 관한 지식을 하나님의 말씀과 성령님의 인도하심에서 얻을 수 있습니다. 이 세상 속에서 마귀는 두루 삼킬 자를 찾아다니고 있습니다. 우리가 만일 하나님의 말씀과 성령님의 인도하심을 외면한 채 인간적인 입씨름과 싸움에 걸려들게 되면 사단의 밥이 되고 맙니다. 왜냐하면 세상은 3차원의 세계이므로, 이것을 이기는 4차원의 영적 무기로만 이길 수 있기 때문입니다. 결국 우리는 방법을 달리해야 합니다. 3차원의 인생의 문제들을 어떻게 받아들이고 이겨내느냐에 따라 3차원 인생이 달리보입니다. 그렇습니다. 해답은 4차원의 세계를 변화시키는 것에 있습니다. 4차원을 변화시킨 우리는 3차원의 인생을 지배할 수 있게 되는 것입니다.

이런 측면에서, 4차원의 영성은 하나님께서 우리에게 주신 축복입니다. 4차원 세계의 4가지 영적 변화요소 – 생각 · 믿음 · 꿈 · 말 – 를 하나님의 뜻대로 먼저 바꾸게 되면, 우리가 살고 있는 3차원의 인생도 자연히 복된 삶으로 바뀌게 되는 것입니다.

물론 하나님을 알지 못하는 사람들이 신념을 가지고 긍정적인 생각과 믿음의 말, 생산적인 꿈을 가져서 3차원에서 그 목표를 성취하기도 합니다. 4차원의 영적요소는 보편적인 우주의 법칙이기 때문입니다. 그러나 이것은 한계가 있습니다. 하나님의 방법인 기도, 말씀, 성령을 통해서 움직여질 때 비로소 강력한 변화의 기적이 나타나는 것입니다

그 구체적인 변화의 실행원리에 관해서는 이미 앞에서 자세히 살펴보았습니다. 이 책을 읽으시는 동안에도 적용해보고 계시리라 믿습니다. 그러나 한, 두 번 해보고 끝나는 것이 아니라 지속적으로 실행하는 것이 중요합니다. '4차원의 영성' 이 여러분의 삶의 한 가운데 자리 잡게 되기를 바랍니다. 거룩한 영적 습관이 되기를 바라는 것입니다. 그러나 쉽게 되지는 않을 것입니다. 포기하지 말고 계속 도전하십시오. 성령님의 도우심으로 우리는 할 수 있습니다.

4차원 세계의 변화는 "영적전쟁" 이다

우리 인간은 매우 연약한 존재입니다. 4차원의 영역을 사람이 혼자 힘으로 바꾸긴 쉽지 않습니다. 아무리 긍정적인 생각을 하려고 해도, 우리 속에 있는 감정이란 것은 어디로 튈지 모르는 것이기 때문에, 그 영향으

로 생각을 계속 유지하기가 쉽지 않은 것입니다. 또 외부적인 요인이 있습니다. 내가 아무리 바꾸려 해도 세상의 유혹, 사탄의 공격은 너무 집요하기 때문에 무너지기 쉬운 것입니다. 4차원 세계를 변화시키는 것은 결국 영적인 세계를 바꾸는 것이기 때문에 악의 세력이 우리의 노력을 방해하려는 것입니다. 결국 이것은 영적전쟁의 문제인 것입니다.

"우리의 씨름은 혈과 육에 대한 것이 아니요 정사와 권세와 이 어두움의 세상 주관자들과 하늘에 있는 악의 영들에게 대함이라"(엡 6:12)

우리 인생의 문제는 결국 영적인 문제요, 영적인 전쟁인 것입니다. 그리고 우리는 이 전쟁에서 궁극적으로 승리를 해야만 하는 것입니다. 이러한 영적 승리를 위해서 우리는 훈련을 받아야 합니다. 영적훈련이 필요한 것입니다. 하나님을 내 삶의 주인으로 모시면서, 4차원 영성의 4가지 요소를 하나님의 뜻대로 바꾸는 것은 영적훈련으로 가능합니다. 영적훈련의 방법에는 3가지가 있습니다. 기도훈련, 말씀훈련, 성령훈련입니다.

기도훈련

먼저 우리는 기도훈련이 필요합니다. 기도 없이는 성령의 역사하심이 없습니다. 성령의 역사하심이 없으면, 우리는 바른 영성을 가질 수가 없습니다. 내적인 영성 개발은 기도를 통해서 이루어지는 것입니다. 따라서 기도훈련은 이토록 중요합니다. 저 자신도 날마다 기도에 전념하도록 힘쓰고 있습니다. 기도는 저에게 있어 삶 그 자체입니다. 저의 기도훈련 방법을 잠깐 소개해 보겠습니다.

첫째는, 기도일기(prayer journaling)입니다. 매일매일 하루의 일기를 쓰는 것처럼 기도하며 미래의 계획들을 세웁니다. 하루를 시작하기 전에는 예방주사기도(preventive injection prayer)를 드립니다. 하루하루의 영적인 승리를 위해 매순간 기도로 시작하는 것입니다.

둘째는, 설교하거나 사역하기 전에 드리는 사역기도(pre-working prayer)입니다. 저는 기도도 보이지 않는 하나님께 대한 사역이라고 봅니다. 저는 종종 제자들에게 말합니다. "사람들에게 사역하기 이전에 하나님께 먼저 사역하라"고 말입니다. 사람들에게 말씀 선포를 하는 사역이전에 하나님께 기도하는 사역을 먼저 해야 하는 것입니다.

셋째는, 믿음의 기도(prayer of faith)입니다. 기도는 항상 의심치 말고 믿음으로 행해야 하는 것이라고 강조하고 싶습니다. 믿음의 기도를 위해서는 선하신 하나님을 믿어야 하고, 기도의 목표가 분명해야 하며, 긍정적인 믿음의 고백을 해야 하고, 기적을 기대해야 하며, 믿음으로 상상하는 법을 배우는 것이 중요합니다.

넷째는, 명령형 기도입니다. 믿음의 기도는 반드시 믿음의 선언을 해야 합니다. 이는 그리스도인에게 부여된 권세를 사용하는 것입니다. 만물을 다스리고 기적을 창조하며 사단을 대적하기 위해서는 믿음으로 명령하는 기도가 효과적입니다.

다섯째는, 공동체적인 기도입니다. 특히 주로 금식기도와 통성기도를 강조하고 싶습니다. 금식기도는 식음을 전폐하고 전심으로 하나님을 열망하고 그분의 은혜를 사모하는 것입니다. 통성기도는 기도의 집중력을 증대시키고 기도훈련에 효과적이며 하나님의 응답을 가져오는 강력한 기도유형입니다. 이것은 성도들의 모임 가운데 합심으로 서로를 위하여, 교회를 위하여, 지도자를 위하여 기도하는 열정적인 기도문화를 만드는데 효과적이기도 합니다.

이밖에도 다양한 기도의 모델들이 있습니다. 그간 저는 주님의 임재를 느끼며 기적을 기대하며 악의 세력을 저항할 수 있는 효과적인 기도를 제안해 왔습니다. 주기도문을 통해서, 찬양을 통해서, 그리고 영 분별 기도 등을 통해서 기도의 세계가 얼마나 크고 깊은지를 알 수 있게 되는 것입니다. 방언의 기도도 강조하고 싶습니다. 우리 안에 성령의 역사하심으로 인해 방언으로 기도할 때 우리 자신의 연약함을 초월하여 깊은 하나님의 은혜와 임재를 경험하게 될 것입니다.

이렇듯 기도를 통해 4차원 세계 안에서 성령의 권능을 부여받아 우리가 생각하며, 꿈꾸며, 믿음을 가지며 말하는 것을 능히 바꿀 수 있는 것입니다.

말씀훈련

하나님의 말씀은 하나님의 생각과 뜻입니다. 우리의 변화된 생각과 모습 그리고 언어는 살아있는 하나님의 영의 말씀인 성경을 통해서 이루어져야 합니다. 성경을 암송하고 말하는 것은 우리의 4차원 영적세계를 발전시키는 것입니다. 설교말씀을 통해서 성도들은 4차원 영적세계를 경험합니다. 그러므로 그리스도인의 삶의 방향은 하나님의 말씀을 귀기울여 들을 때 다르게 변할 수 있습니다.

또 하나님의 말씀은 믿는 자의 삶 안에서 경험되어져야 합니다. 비록 성경이 하나님 말씀이지만 만약 우리가 말씀 안에서 하나님의 권능과 역사를 경험하지 못한다면 말씀은 아무런 의미가 없습니다. 저는 주일예배 때 설교말씀을 전할 때마다 성경구절을 20개 이상씩 인용합니다. 우리 성도들에게 날마다 성경을 읽고 외우며 공부하며 실천하도록 권고하고 있습니다. 저는 우리의 생각과 믿음, 꿈 그리고 언어는 하나님의 말씀과 뜻에 반드시 감동되어져야 한다고 믿습니다. 말씀을 이해하고, 묵상하고, 암송하여 당신의 4차원 영성이 더욱 성장하기를 바랍니다.

성령훈련

우리 각각의 사람이 성령님을 경험하는 훈련이 필요합니다. 특히 다음의 3가지를 중심으로 경험해야 합니다.

첫 번째, 성령님과 함께하는 교제입니다. 저는 초기 사역 때 성령님의 인격을 이해하지 못하였습니다. 그러다가 1964년 어느 아침 새벽기도 후 교회 부흥을 위해 기도하는 도중 성령님의 음성을 들었습니다. "너는 나를 단지 경험을 통해서만 알았다. 하지만 성령은 인격체이시다. 인격체는 단지 경험을 통해서 교제되어서는 안 된다. 인격적으로 교제하고 인정하고 환영하고 모셔 들이며 감사해야 한다." 이 경험 이후 저는 성령님과 함께 매일 깊은 대화를 하였으며 하나님의 놀라운 은혜를 경험하기 시작했습니다.

두 번째로, 성령님과 함께하는 동반자로서의 역할을 배워야 합니다. 성령님과의 교제는 권능과 하나님의 역사하심을 나타내 주십니다. 우리 인생의 성공과 실패는 성령님과 함께하는 동반자적 사역에 좌우됩니다.

세 번째로, 성령님과의 연합이 있어야 합니다. 성령님과의 연합은 그분과 함께 교제하고 동반자적 역할을 수행하면서 완전한 하나됨을 의미하는 것입니다. 성령님과의 연합은 성령 충만한 삶을 살게 합니다.

우리가 성령으로 충만하였을 때 꿈을 이루는 사람이 될 수 있습니다. 우리 자신을 위해서 사는 것이 아닌 예수님의 증인이 되는 꿈을 가질 수 있습니다. 성령께서는 3차원의 세계에서부터 우리를 움직이시며, 우리의 삶 가운데 창조적인 변화를 가져다주는 4차원 세계 안으로 인도하십니다.

당신의 삶에 하나님의 기적을 기대하십시오 그리고 체험하십시오

"4차원의 영적세계"는 근본적으로 하나님의 역사하심과 그의 백성인 우리들이 만나는 통로입니다. 또 우리는 "4차원의 영성"을 통해서 우리의 3차원 세계가 변화되는 기적을 경험하게 됩니다. 우리는 기도와 하나님의 말씀을 통해 우리의 생각, 믿음, 꿈, 그리고 언어를 변화시킬 수 있습니다. 그리고 성령님께서 우리 인생들의 운명을 바꾸며 그리스도인으로서의 사명을 다하도록 도와주십니다.

"4차원의 영성"을 통해서 저는 성령님께서 주시는 비전을 받았습니다. 믿음과 함께 비전을 얻게 되는 경험은 영적인 권위를 가지게 하고, 오늘날 여의도순복음교회가 성장할 수 있도록 능력을 가져다 준 것입니다. 저는 목회 가운데 많은 기적을 체험하였습니다. 기적은 하나님께서 이루어 내시는 위대한 일입니다. 우리 교회 안에서 일어나고 있는 기적들 - 삶의 변화, 문제 해결, 병 고침 등 - 은 아주 자연스럽게 일어나는 현상이 되었습니다. 성도들은 모든 것을 초월하시는 하나님께서 우리의 삶을 중재하시며 문제를 해결해 주시고 많은 기적들을 행하신다고 믿습니다.

당신의 삶 가운데 어떤 절망적인 상황이 다가오더라도 승리의 꿈을 꾸십시오.

예수님의 은혜로 우리는 그럴만한 특권이 있습니다. 사망 대신 생명을, 패배 대신 승리를, 질병 대신 건강을, 실패 대신 성공을 꿈꿀 수 있는 것입니다. "네 입을 넓게 열라 내가 채우리라"는 말씀을 붙들고 꿈을 크게 꾸십시오. 꿈은 성령님의 언어요, 꿈을 꾼다는 것은 성령님이 동행하고 계시다는 증거입니다. 성령님과 함께 하는 당신이 긍정적이고 적극적이며 창조적인 생각과 꿈을 가지고 끊임없이 승리를 입술로 시인하며 나갈 때 승리할 수 있습니다.

이제 당신의 삶 가운데 영적 승리를 선포하십시오. 당신의 인생의 문제에 대해서 이전과는 달리 생각, 믿음, 꿈, 말의 4차원의 영성으로 대하십시오. 그리고 이 영적 전쟁의 승리를 위해 계속해서 훈련을 사모하십시오. 기도훈련, 말씀훈련, 성령훈련의 과정을 통해서 당신의 4차원의 영성은 일회성이 아니라 거룩한 습관으로 정착될 것입니다. 그리고 당신의 삶에 지속적인 변화가 나타날 것입니다. 정말로 위대한 기적을 체험하게 될 것이요, 하나님의 꿈을 이루는 사명자가 될 수 있을 것입니다. 당신의 삶 가운데 하나님의 놀라우신 은혜와 복된 기적의 역사가 임하시길 주의 이름으로 축원합니다.

3차원의 인생을 지배하는 **4차원의 영성**

초판 1쇄 발행: 2004년 12월 30일
초판 25쇄 발행: 2005년 2월 14일
지은이: 조용기
펴낸곳: 교회성장연구소
편집인: 홍영기
기획부장: 이장석
기획 · 편집: 신성준, 방미진, 이봉연
디자인: 손지선
마케팅: 이승조
사진제공: 김용두
등록번호: 제 12-177호
주소: 서울시 구로구 구로동 구로디지털 우체국 사서함 50호
전화: 02-2109-5721~3
팩스: 02-2109-5720
웹사이트: www.pastor21.net
* 책 가격은 뒷표지에 있습니다.

ISBN 89-8304-074-2 03230

교회성장연구소(Institute for Church Growth)는 한국교회와 전국 목회자들의 사역을 위한 각종 정보를 제공해 주고, 목회자 및 신학생, 평신도 지도자를 위한 제반 교육을 전담할 뿐 아니라, 교회의 각종 문제를 진단하고 해결해 주는 교회성장 전문상담 및 연구기관(Church Growth Consulting & Research Center)입니다. 교회성장연구소의 출판사역으로 모든 교회가 건강하게 성장하기를 기도합니다.